MOLIÈRE

LE BOURGEOIS GENTILHOMME

COMÉDIE

TEXTE INTÉGRAL

Texte conforme à l'édition des Grands Écrivains de la France.

Notes explicatives, questionnaires, bilans, documents et parcours thématique

établis par

Mariel MORIZE-NICOLAS, professeur agrégée de Lettres modernes.

Classiques Hachette

Couverture : Laurent Carré

Crédits photographiques : *p. 4* © Roger-Viollet. *p. 8* Gravure de Brissart pour l'édition de 1682, B.N., photo Hachette. *p. 9* Page-titre de l'édition de 1682. *p. 23* Hachette. *p. 28* Le maître à danser (Jacques Charron) et M. Jourdain (Louis Seigner), photo Lipnitzki-Viollet. *p. 31* Photo Hachette. *p. 33* Partition du menuet, photo Jean-Loup Charmet. *p. 36* La leçon d'armes (II, 2), Bibliothèque de la Comédie-Française, photo Hachette. *p. 40* Photo Bernand. *p. 50* Photo Bernand. *p. 54* Photo Hachette. *p. 58* M. Jourdain, gravure de Geffroy d'après une sculpture de Wolff; photo Hachette. *p. 61* M. Jourdain, deux laquais et Nicole disant : *« De grâce, Monsieur, je vous prie de me laisser rire. »* (III, 2). Gravure de F. D. Née, d'après un dessin de J. M. Moreau, dit Moreau le Jeune. Bibliothèque de l'Arsenal, photo Hachette. *p. 63* Photo Hachette. *p. 71* Photo Hachette. *p. 77* Photo Bernand. *p. 81* Photo Hachette. *p. 83* Photo studio Harcourt. *p. 92* Photo Hachette. *p. 105* Photo Bernand. *p. 114* Photo Hachette. *p. 133* Photo Georges Pierre. *p. 135* Photo Hachette. *p. 136* Gravure tirée de l'édition de 1801 ; bibliothèque de la Comédie-Française. Photo Jean-Loup Charmet. *p. 139* Photo Hachette. *p. 148* Photo Hachette. *p. 150* Gravure de 1851. Photo Hachette. *p. 154* Louis Seigner dans le rôle de M. Jourdain. Photo Georges Pierre. *p. 159* Photo studio Harcourt. *p. 161* Photo Hachette. *p. 165* Photo Hachette. *p. 167* Vue perspective du château et des jardins de Versailles, prise en 1668. Peinture de Pierre Vatel, musée de Versailles. Photo Hachette. *p. 177* Photo Hachette. *p. 183 Alceste,* opéra-ballet de Lully, donné à Versailles dans la cour de marbre, le 4 juillet 1674. Gravure de Jean Le Pautre, 1676. B.N. Photo Hachette.

ISBN : 978-2-01-169174-3

www.hachette-education.com

SOMMAIRE

Les mots de la pièce suivis du signe (•) sont définis dans le lexique du XVIIe siècle p. 222.
Les mots du texte suivis du signe (*) sont expliqués dans le lexique stylistique p. 222.

Molière et sa servante, par Carlus, musée du Luxembourg.

Le 14 octobre 1670, au château de Chambord, le rideau se lève pour la première représentation du Bourgeois Gentilhomme devant le roi et la Cour. Auteur, metteur en scène, comédien, Molière est alors au faîte de sa gloire, reconnu et admiré. Il a quarante huit ans, et, déjà rongé par la maladie, il ne lui reste plus que trois ans à vivre.
Que de chemin parcouru depuis que le jeune Jean-Baptiste Poquelin, qui prendra le pseudonyme de Molière, a délaissé la carrière de tapissier du roi héritée de son père. À vingt ans, passionné de théâtre, il fonde une troupe, l'«Illustre-Théâtre»; n'arrivant pas à s'imposer à Paris, il part tenter sa chance en province, où il reste treize ans, jusqu'au jour où, remarqué par le roi, il rentre définitivement à Paris, avec sa troupe.
Dès lors, Louis XIV le protège, l'aide financièrement et lui commande des pièces pour se divertir. L'«Illustre Théâtre» devient la «Troupe du Roi». Molière réussit, le roi s'amuse, les courtisans applaudissent. Mais certaines pièces, aux thèmes plus graves, telles le Tartuffe ou Dom Juan se voient pour un temps interdites, car elles constituent une satire contre les vices de l'époque. Molière revient alors à des comédies plus légères comme l'Avare ou le Bourgeois Gentilhomme.*
À l'origine de la pièce, le désir du roi est de se divertir, mais également celui de se venger de l'affront que lui a fait l'ambassadeur du grand seigneur turc, lors de sa visite en France en 1669. Ce dernier n'a pas témoigné toute l'admiration escomptée pour le faste déployé par Louis XIV en son honneur, et le roi en a été piqué au vif. De plus, la France est à l'époque férue d'exotisme oriental, la mode est aux «turqueries». Molière, aidé du compositeur Lully, se met au travail et, de la rencontre de leurs génies, naît ce que l'on considère comme le chef-d'œuvre de la comédie-ballet, celle qui fera dire à Louis XIV :
«En vérité, vous n'avez encore rien fait qui m'ait plus diverti, et votre pièce est excellente»...

LE BOURGEOIS GENTILHOMME DANS L'HISTOIRE DE SON GENRE ET DE SON ÉPOQUE

La comédie-ballet

Les origines : XIIIe-XVIIe
- ballet de cour traditionnel
- ballet ornemental
- pastorale
- opéra italien

Les prolongements : XVIIe-XXe
- naissance du grand opéra
- naissance de la comédie-musicale

Les premières comédies-ballets de Molière
- 1661 : *Les Fâcheux*
- 1664 : *Le Mariage forcé*, *La Princesse d'Élide* } *Les Plaisirs de L'Île enchantée*; *Le Palais d'Alcine*
- 1665 : *L'Amour médecin*
- 1666 : *Melicerte*
- 1667 : *La Pastorale comique*, *Le Sicilien* } *Le ballet des Muses*

5 ANNÉES DE CULTURE ET D'HISTOIRE

1668
- *Les Fables* (La Fontaine)
- *Les Plaideurs* (Racine, c.[1])
- *Amphitryon* (Molière, c.)
- *Georges Dandin* (Molière, c.-b.[2])
- *L'Avare* (Molière, c.)

- Fin de la guerre de Dévolution Traité d'Aix-la-Chapelle et de St-Germain
- Annexion de la Flandre

1669
- *Monsieur de Pourceaugnac* (Molière, c.-b.)
- *Britannicus* (Racine, tragédie)
- *Pensées,* édition posthume (Pascal)

- Création de l'Académie Royale de Musique
- Colbert devient secrétaire d'État à la maison du Roi.

1670
- *Les Amants magnifiques* (Molière, c.-b.)
- **LE BOURGEOIS GENTILHOMME** (Molière, c.-b.)
- *Bérénice* (Racine, tragédie)
- *Oraison funèbre d'Henriette d'Angleterre* (Bossuet)
- *Tite et Bérénice* (Corneille)

1671
- *Psyché* (Molière, esquisse d'opéra)
- *La comtesse d'Escarbagna, pastorale : le Ballet des Ballets* (Molière, c.-b.)
- *Les Fourberies de Scapin* (Molière, c.)
- *Correspondance de Mme de Sévigné avec Mme de Grignan* (Lettres)

1672
- *Les Femmes savantes* (Molière, c.)
- *Bajazet* (Racine, tragédie)

- Fusion des deux Académies de danse et de musique (opéra de Paris) ; Lully en prend la direction
- Guerre de Hollande

1. *c.* : comédie.
2. *c.-b.* : comédie-ballet.

... Ce succès, cautionné par le roi en personne, ne s'est pas démenti. Le Bourgeois Gentilhomme a été représenté plus de mille fois depuis sa création, plus ou moins fréquemment selon les époques. Peu mis en scène aux XVIIIe et XIXe siècles, il est de nos jours régulièrement mis à l'honneur.

Pourtant la comédie-ballet a toujours été considérée comme un genre hybride, où le texte même ne sert souvent que de prétexte à la représentation de chants et de danses. Or, tel n'est pas le cas du Bourgeois Gentilhomme. Loin d'être un simple divertissement de commande, cette œuvre est l'expression du génie théâtral de son auteur, doté d'une grande puissance d'observation, d'une originalité particulière dans sa création et d'une inégalable capacité à nous amuser.

Le grand dramaturge, en dénonçant le ridicule des bourgeois enrichis aux prétentions nobiliaires, se révèle une fois encore être le juge impitoyable de son époque et, au-delà, de l'humanité. Ne croisons-nous pas tous les jours des M. Jourdain, prenant les traits de nouveaux riches parvenus, imbus d'eux-mêmes, qui hantent les lieux à la mode et font étalage de leurs biens? Mais ces travers humains, Molière les dénonce en nous divertissant. Ici, point de leçons de morale fastidieuses; un homme évolue dans la réalité de son univers quotidien, bouffon naïf et coléreux, victime de ses illusions. Molière utilise tous les ressorts du comique* pour nous faire rire de nos propres défauts et nous propose un spectacle total, enlevé et irrésistible où paroles, musiques et danses se mêlent savamment.*

LE BOURGEOIS GENTILHÕME

LE BOURGEOIS GENTIL-HOMME.

COMEDIE-BALET.

Faite à Chambord pour le Divertissement du Roy, au mois d'Octobre 1670.

Par I. B. P. DE MOLIERE.

Et representée en public à Paris, pour la premiere fois, sur le Theatre du Palais Royal, le 23. Novembre de la mesme année 1670.

Par la Troupe du ROY.

PERSONNAGES	ACTEURS
M. JOURDAIN bourgeois	Molière
MME JOURDAIN sa femme	Hubert (actes III, IV, V)
LUCILE fille de M. Jourdain	Mlle Molière (Armande Béjart)
NICOLE servante	Mlle Beauval
CLÉONTE amoureux de lucile	La Grange (ou le jeune Baron)
COVIELLE valet de Cléonte	Du Croisy (actes III, IV, V)
DORANTE comte, amant de Dorimène	La Thorillière (ou La Grange)
DORIMÈNE marquise	Mlle de Brie
MAÎTRE DE MUSIQUE	Hubert (actes I et II)
ÉLÈVE DU MAÎTRE DE MUSIQUE	Gaye
MAÎTRE À DANSER	
MAÎTRE D'ARMES	De Brie
MAÎTRE DE PHILOSOPHIE	Du Croisy (acte II)
MAÎTRE TAILLEUR	
GARÇON TAILLEUR	Beauval
LE MUFTI	Lully, masqué

(cérémonie turque)

Plusieurs musiciens, musiciennes, joueurs d'instruments, danseurs, cuisiniers, garçons tailleurs, et autres personnages des intermèdes et du ballet.

La scène est à Paris.

L'ouverture[1] *se fait par un grand assemblage d'instruments ; et dans le milieu du théâtre on voit un élève du Maître de musique, qui compose sur une table un air que le Bourgeois a demandé pour une sérénade*[2].

ACTE PREMIER

SCÈNE PREMIÈRE. MAÎTRE DE MUSIQUE, MAÎTRE À DANSER, TROIS MUSICIENS, DEUX VIOLONS, QUATRE DANSEURS

MAÎTRE DE MUSIQUE, *parlant à ses Musiciens.* Venez, entrez dans cette salle, et vous reposez là en attendant qu'il[3] vienne.

5 MAÎTRE À DANSER, *parlant aux Danseurs.* Et vous aussi, de ce côté.

MAÎTRE DE MUSIQUE, *à l'élève.* Est-ce fait ?

L'ÉLÈVE. Oui.

MAÎTRE DE MUSIQUE. Voyons... Voilà qui est bien.

MAÎTRE À DANSER. Est-ce quelque chose de nouveau ?

10 MAÎTRE DE MUSIQUE. Oui, c'est un air pour une sérénade, que je lui[4] ai fait composer ici, en attendant que notre homme fût éveillé.

MAÎTRE À DANSER. Peut-on voir ce que c'est ?

MAÎTRE DE MUSIQUE. Vous l'allez entendre avec le dia-
15 logue[5], quand il viendra. Il ne tardera guère.

---

1. *ouverture* : morceau par lequel débute le plus souvent une œuvre musicale lyrique (opéra, opéra-comique, oratorio).
2. *sérénade* : pièce de musique vocale ou instrumentale jouée en principe en plein air et de nuit ou le soir.
3. *il* : M. Jourdain.
4. *lui* : l'élève qui compose la sérénade.
5. *dialogue* : composition musicale pour deux ou plusieurs voix accompagnées d'instruments qui se répondent alternativement.

MAÎTRE À DANSER. Nos occupations, à vous et à moi, ne sont pas petites maintenant.

MAÎTRE DE MUSIQUE. Il est vrai. Nous avons trouvé ici un homme comme il nous le faut à tous deux ; ce nous
20 est une douce rente[1] que ce monsieur Jourdain, avec les visions• de noblesse et de galanterie• qu'il est allé se mettre en tête ; et votre danse et ma musique auraient à souhaiter que tout le monde lui ressemblât.

MAÎTRE À DANSER. Non pas entièrement ; et je voudrais
25 pour lui qu'il se connût mieux qu'il ne fait aux choses que nous lui donnons.

MAÎTRE DE MUSIQUE. Il est vrai qu'il les connaît mal, mais il les paie bien ; et c'est de quoi maintenant nos arts ont plus besoin que de toute autre chose.

30 MAÎTRE À DANSER. Pour moi, je vous l'avoue, je me repais[2] un peu de gloire, les applaudissements me touchent ; et je tiens que, dans tous les beaux-arts, c'est un supplice assez fâcheux que de se produire à des sots, que d'essuyer sur des compositions la barbarie d'un stu-
35 pide. Il y a plaisir, ne m'en parlez point, à travailler pour des personnes qui soient capables de sentir les délicatesses d'un art, qui sachent faire un doux accueil aux beautés d'un ouvrage, et par de chatouillantes[3] approbations vous régaler de votre travail. Oui, la récompense la
40 plus agréable qu'on puisse recevoir des choses que l'on fait, c'est de les voir connues, de les voir caressées[4] d'un applaudissement qui vous honore. Il n'y a rien, à mon avis, qui nous paie mieux que cela de toutes nos fatigues ; et ce sont des douceurs exquises que des
45 louanges éclairées[5].

MAÎTRE DE MUSIQUE. J'en demeure d'accord, et je les goûte comme vous. Il n'y a rien assurément qui cha-

---

1. *rente* : revenu facile à obtenir et régulier.
2. *repais* : de repaître : se nourrir, se délecter.
3. *chatouillantes* : agréables, flatteuses.
4. *caressées* : flattées (terme précieux).
5. *louanges éclairées* : hommages rendus par des personnes qui ont du discernement, des connaissances.

touille davantage que les applaudissements que vous dites. Mais cet encens[1] ne fait pas vivre ; des louanges
50 toutes pures ne mettent point un homme à son aise : il y faut mêler du solide ; et la meilleure façon de louer, c'est de louer avec les mains[2]. C'est un homme, à la vérité, dont les lumières sont petites, qui parle à tort et à travers de toutes choses, et n'applaudit qu'à contresens ;
55 mais son argent redresse les jugements de son esprit ; il a du discernement dans sa bourse ; ses louanges sont monnayées, et ce bourgeois ignorant nous vaut mieux, comme vous voyez, que le grand seigneur éclairé[3] qui nous a introduits ici.

60 MAÎTRE À DANSER. Il y a quelque chose de vrai dans ce que vous dites ; mais je trouve que vous appuyez un peu trop sur l'argent ; et l'intérêt est quelque chose de si bas, qu'il ne faut jamais qu'un honnête homme[4] montre pour lui de l'attachement.

65 MAÎTRE DE MUSIQUE. Vous recevez fort bien pourtant l'argent que notre homme vous donne.

MAÎTRE À DANSER. Assurément ; mais je n'en fais pas tout mon bonheur, et je voudrais qu'avec son bien il eût encore quelque bon goût des choses.

70 MAÎTRE DE MUSIQUE. Je le voudrais aussi, et c'est à quoi nous travaillons tous deux autant que nous pouvons. Mais, en tout cas, il nous donne moyen de nous faire connaître dans le monde ; et il paiera pour les autres ce que les autres loueront pour lui.

75 MAÎTRE À DANSER. Le voilà qui vient.

---

1. *encens* : flatterie.
2. *avec les mains* : en donnant de l'argent.
3. *le grand seigneur éclairé* : Dorante.
4. *honnête homme* : au XVIIe siècle, homme du monde, agréable, distingué par les manières comme par l'esprit.

Questions

Compréhension

1\. *Les personnages présents.*
a) D'après la liste figurant au début de la scène, combien de personnages sont présents ?
b) Lesquels prennent essentiellement la parole ?
c) Pourquoi alors tout ce monde sur la scène ?
d) Qu'en concluez-vous sur les habitudes et le train de vie de la maison ?

2\. *Les personnages absents.*
a) Les maîtres évoquent un personnage qui n'est pas encore sur la scène. Qu'apprenons-nous exactement sur lui ?
b) Ces informations sont-elles données toutes à la fois ? Pourquoi ?
c) Les maîtres ont-ils une bonne opinion de cet homme ? Justifiez votre réponse.
d) Pourquoi Molière a-t-il choisi de retarder son arrivée ?
e) Il est fait allusion à un autre personnage, absent également. Retrouvez cette allusion. Ce personnage jouera un rôle très important dans la suite de la pièce.

Écriture / Réécriture

3\. *a) Relevez dans le discours des maîtres tous les termes appartenant au champ lexical* de la gloire et du prestige d'une part, de l'argent d'autre part.*
b) Pouvez-vous, alors, mieux définir l'objet de la conversation entre les deux hommes ?
c) Sur quels points sont-ils en accord ? En désaccord ?
d) Recherchez le sens des mots « arriviste » et « opportuniste » ; composez une phrase en employant l'un d'eux pour expliquer l'attitude des maîtres.

4\. *Le rapport entre l'art, la renommée et l'argent.*
a) Connaissez-vous des artistes (écrivains, peintres, sculpteurs, comédiens, musiciens...) qui n'ont pas connu la gloire de leur vivant ? Comment appelle-t-on la gloire qui ne survient qu'après la mort ?
b) De nos jours, les artistes et les sportifs se font aider dans la gestion de leur carrière. Comment appelle-t-on les personnes qui les assistent ?
c) Recherchez dans des livres ou des journaux l'évolution de la

carrière d'un artiste contemporain auquel vous vous intéressez tout particulièrement. Constituez un petit dossier illustré rendant compte de sa vie, sa famille, son cheminement, ses œuvres...

Mise en scène

5. *Dossier : La représentation du* Bourgeois gentilhomme *en 1670.*
Recherchez des illustrations représentant les intérieurs bourgeois du XVIIe siècle (forme et matière du mobilier, couleurs et motifs des tapisseries, objets...). En équipe, représentez à l'aide de dessins, de collages, de montages, le décor de la scène 1 tel qu'il pouvait être à l'époque de Molière.
Cette première recherche constituera le premier volet du dossier que vous compléterez tout au long de la pièce.

6. *Dossier : M. Jourdain à la fin du XXe siècle.*
Si le Bourgeois gentilhomme *nous intéresse et nous amuse encore autant au XXe siècle, c'est parce que la pièce reste d'une grande actualité. Les mœurs ont évolué, la société n'est plus la même, mais le type du personnage enrichi, snob et arriviste est éternel. Imaginez quel serait l'intérieur d'un nouveau riche au XXe siècle.*

NE 2. M. JOURDAIN, DEUX LAQUAIS, MAÎTRE DE MUSIQUE, MAÎTRE À DANSER, VIOLONS, MUSICIENS ET DANSEURS

M. JOURDAIN. Hé bien, messieurs ? Qu'est-ce ? me ferez-vous voir votre petite drôlerie[1] ?

MAÎTRE À DANSER. Comment ! quelle petite drôlerie ?

M. JOURDAIN. Eh la..., comment appelez-vous cela ? votre prologue ou dialogue de chansons et de danse.

MAÎTRE À DANSER. Ah ! ah !

MAÎTRE DE MUSIQUE. Vous nous y voyez préparés.

M. JOURDAIN. Je vous ai fait un peu attendre, mais c'est que je me fais habiller aujourd'hui comme les gens de qualité[2], et mon tailleur m'a envoyé des bas de soie que j'ai pensé ne mettre jamais.

MAÎTRE DE MUSIQUE. Nous ne sommes ici que pour attendre votre loisir[3].

M. JOURDAIN. Je vous prie tous deux de ne vous point en aller qu'on[4] ne m'ait apporté mon habit, afin que vous me puissiez voir.

MAÎTRE À DANSER. Tout ce qu'il vous plaira.

M. JOURDAIN. Vous me verrez équipé comme il faut, depuis les pieds jusqu'à la tête.

MAÎTRE DE MUSIQUE. Nous n'en doutons point.

M. JOURDAIN. Je me suis fait faire cette indienne[5]-ci.

MAÎTRE À DANSER. Elle est fort belle.

M. JOURDAIN. Mon tailleur m'a dit que les gens de qualité étaient comme cela le matin.

MAÎTRE DE MUSIQUE. Cela vous sied à merveille.

---

1. *drôlerie* : divertissement bouffon, sans grande valeur.
2. *gens de qualité* : nobles d'ancienne naissance. Ils étaient habillés de vêtements de couleur, tandis que les bourgeois étaient vêtus de gris ou de noir.
3. *loisir* : le moment où vous serez disponible.
4. *qu'on* : avant qu'on.
5. *indienne* : robe de chambre très luxueuse, en étoffe importée des Indes.

M. JOURDAIN. Laquais ! holà, mes deux laquais !

PREMIER LAQUAIS. Que voulez-vous, monsieur ?

M. JOURDAIN. Rien. C'est pour voir si vous m'entendez bien. *(Aux deux Maîtres.)* Que dites-vous de mes
30 livrées[1] ?

MAÎTRE À DANSER. Elles sont magnifiques.

M. JOURDAIN. *(Il entrouvre sa robe et fait voir un haut-de-chausses[2] étroit de velours rouge, et une camisole• de velours vert, dont il est vêtu.)* Voici encore un petit dés-
35 habillé pour faire le matin mes exercices.

MAÎTRE DE MUSIQUE. Il est galant•.

M. JOURDAIN. Laquais !

PREMIER LAQUAIS. Monsieur.

M. JOURDAIN. L'autre laquais !

40 SECOND LAQUAIS. Monsieur.

M. JOURDAIN. Tenez ma robe. Me trouvez-vous bien comme cela ?

MAÎTRE À DANSER. Fort bien. On ne peut pas mieux.

M. JOURDAIN. Voyons un peu votre affaire.

45 MAÎTRE DE MUSIQUE. Je voudrais bien auparavant vous faire entendre un air qu'il vient de composer pour la sérénade que vous m'avez demandée. C'est un de mes écoliers[3], qui a pour ces sortes de choses un talent admirable.

50 M. JOURDAIN. Oui ; mais il ne fallait pas faire faire cela par un écolier, et vous n'étiez pas trop bon vous-même pour cette besogne-là.

MAÎTRE DE MUSIQUE. Il ne faut pas, monsieur, que le nom d'écolier vous abuse. Ces sortes d'écoliers en
55 savent autant que les plus grands maîtres, et l'air est aussi beau qu'il s'en puisse faire. Écoutez seulement.

---

1. *livrées* : uniformes que portaient les laquais.
2. *haut-de-chausses* : sorte de pantalon s'arrêtant aux genoux.
3. *écoliers* : élèves, mais M. Jourdain le comprend comme simples apprentis.

M. JOURDAIN. Donnez-moi ma robe pour mieux entendre... Attendez, je crois que je serai mieux sans robe... Non ; redonnez-la-moi, cela ira mieux.

MUSICIEN, *chantant.*

Je languis nuit et jour, et mon mal est extrême,
Depuis qu'à vos rigueurs vos beaux yeux m'ont soumis :
Si vous traitez ainsi, belle Iris, qui vous aime,
Hélas ! que pourriez-vous faire à vos ennemis ?

M. JOURDAIN. Cette chanson me semble un peu lugubre, elle endort, et je voudrais que vous la pussiez un peu ragaillardir par-ci, par-là.

MAÎTRE DE MUSIQUE. Il faut, monsieur, que l'air soit accommodé aux paroles.

M. JOURDAIN. On m'en apprit un tout à fait joli, il y a quelque temps. Attendez... La..., comment est-ce qu'il dit ?

MAÎTRE À DANSER. Par ma foi ! je ne sais.

M. JOURDAIN. Il y a du mouton dedans.

MAÎTRE À DANSER. Du mouton ?

M. JOURDAIN. Oui. Ah !

(M. Jourdain chante.)

Je croyais Janneton
Aussi douce que belle,
Je croyais Janneton
Plus douce qu'un mouton :
Hélas ! hélas ! elle est cent fois,
Mille fois plus cruelle,
Que n'est le tigre aux bois.

N'est-il pas joli ?

MAÎTRE DE MUSIQUE. Le plus joli du monde.

MAÎTRE À DANSER. Et vous le chantez bien.

M. JOURDAIN. C'est sans avoir appris la musique.

MAÎTRE DE MUSIQUE. Vous devriez l'apprendre, mon-

sieur, comme vous faites la danse. Ce sont deux arts qui
90 ont une étroite liaison ensemble.

MAÎTRE À DANSER. Et qui ouvrent l'esprit d'un homme aux belles choses.

M. JOURDAIN. Est-ce que les gens de qualité apprennent aussi la musique ?

95 MAÎTRE DE MUSIQUE. Oui, monsieur.

M. JOURDAIN. Je l'apprendrai donc. Mais je ne sais quel temps je pourrai prendre ; car, outre le Maître d'armes qui me montre[1], j'ai arrêté[2] encore un Maître de philosophie, qui doit commencer ce matin.

100 MAÎTRE DE MUSIQUE. La philosophie est quelque chose ; mais la musique, monsieur, la musique...

MAÎTRE À DANSER. La musique et la danse... La musique et la danse, c'est là tout ce qu'il faut.

MAÎTRE DE MUSIQUE. Il n'y a rien qui soit si utile dans
105 un État que la musique.

MAÎTRE À DANSER. Il n'y a rien qui soit si nécessaire aux hommes que la danse.

MAÎTRE DE MUSIQUE. Sans la musique, un État ne peut subsister.

110 MAÎTRE À DANSER. Sans la danse, un homme ne saurait rien faire.

MAÎTRE DE MUSIQUE. Tous les désordres, toutes les guerres qu'on voit dans le monde, n'arrivent que pour n'apprendre pas la musique.

115 MAÎTRE À DANSER. Tous les malheurs des hommes, tous les revers[3] funestes[4] dont les histoires sont remplies, les bévues[5] des politiques et les manquements[6] des grands

1. *montre* : enseigne, instruit.
2. *arrêté* : engagé.
3. *revers* : coup du sort qui change la destinée en mal.
4. *funestes* : qui apporte le malheur, la mort.
5. *bévues* : erreur, étourderie due à l'ignorance ou à l'inadvertance.
6. *manquements* : faute.

capitaines, tout cela n'est venu que faute de savoir danser.

120 M. JOURDAIN. Comment cela ?

MAÎTRE DE MUSIQUE. La guerre ne vient-elle pas d'un manque d'union entre les hommes ?

M. JOURDAIN. Cela est vrai.

MAÎTRE DE MUSIQUE. Et si tous les hommes appre-
125 naient la musique, ne serait-ce pas le moyen de s'accorder ensemble, et de voir dans le monde la paix universelle ?

M. JOURDAIN. Vous avez raison.

MAÎTRE À DANSER. Lorsqu'un homme a commis un
130 manquement dans sa conduite, soit aux affaires de sa famille, ou au gouvernement d'un État, ou au commandement d'une armée, ne dit-on pas toujours : « Un tel a fait un mauvais pas dans une telle affaire ? »

M. JOURDAIN. Oui, on dit cela.

135 MAÎTRE À DANSER. Et faire un mauvais pas peut-il procéder d'autre chose que de ne savoir pas danser ?

M. JOURDAIN. Cela est vrai, vous avez raison tous deux.

MAÎTRE À DANSER. C'est pour vous faire voir l'excellence et l'utilité de la danse et de la musique.

140 M. JOURDAIN. Je comprends cela à cette heure.

MAÎTRE DE MUSIQUE. Voulez-vous voir nos deux affaires ?

M. JOURDAIN. Oui.

MAÎTRE DE MUSIQUE. Je vous l'ai déjà dit, c'est un petit
145 essai que j'ai fait autrefois des diverses passions que peut exprimer la musique.

M. JOURDAIN. Fort bien.

MAÎTRE DE MUSIQUE, *aux Musiciens.* Allons, avancez. (*À M. Jourdain*) Il faut vous figurer qu'ils sont habillés en
150 bergers.

M. JOURDAIN. Pourquoi toujours des bergers ? On ne voit que cela partout.

MAÎTRE À DANSER. Lorsqu'on a des personnes à faire parler en musique, il faut bien que, pour la vraisemblance, on donne dans la bergerie. Le chant a été de tout temps affecté aux bergers ; et il n'est guère naturel en dialogue que des princes ou des bourgeois chantent leurs passions.

M. JOURDAIN. Passe, passe. Voyons.

DIALOGUE
en musique

UNE MUSICIENNE ET DEUX MUSICIENS
Un cœur, dans l'amoureux empire[1]*,*
De mille soins[2] *est toujours agité :*
On dit qu'avec plaisir on languit, on soupire ;
Mais, quoi qu'on puisse dire,
Il n'est rien de si doux que notre liberté.
PREMIER MUSICIEN
Il n'est rien de si doux que les tendres ardeurs
Qui font vivre deux cœurs
dans une même envie.
On ne peut être heureux sans amoureux désirs :
Ôtez l'amour de la vie,
Vous en ôtez les plaisirs.
Second musicien
Il serait doux d'entrer sous l'amoureuse loi,
Si l'on trouvait en amour de la foi[3]*;*
Mais, hélas ! ô rigueur cruelle !
On ne voit point de bergère fidèle ;
Et ce sexe inconstant, trop indigne du jour,
Doit faire pour jamais renoncer à l'amour.
PREMIER MUSICIEN
Aimable ardeur.
MUSICIENNE
Franchise heureuse.

1. *dans l'amoureux empire :* soumis à l'amour.
2. *soins :* soucis, tourments.
3. *foi :* fidélité.

SECOND MUSICIEN
Sexe trompeur.
PREMIER MUSICIEN
180 *Que tu m'es précieuse !*
MUSICIENNE
Que tu plais à mon cœur !
SECOND MUSICIEN
Que tu me fais d'horreur !
PREMIER MUSICIEN
Ah ! quitte pour aimer cette haine mortelle.
MUSICIENNE
On peut, on peut te montrer,
185 *Une bergère fidèle.*
SECOND MUSICIEN
Hélas ! où la rencontrer ?
MUSICIENNE
Pour défendre notre gloire,
Je te veux offrir mon cœur.
SECOND MUSICIEN
Mais, Bergère, puis-je croire
190 *Qu'il ne sera point trompeur ?*
MUSICIENNE
Voyons par expérience
Qui des deux aimera mieux.
SECOND MUSICIEN
Qui manquera de constance,
Le puissent perdre les dieux[1] *!*
TOUS TROIS
195 *À des ardeurs si belles*
Laissons-nous enflammer :
Ah ! qu'il est doux d'aimer,
Quand deux cœurs sont fidèles !

M. JOURDAIN. Est-ce tout ?

200 MAÎTRE DE MUSIQUE. Oui.

M. JOURDAIN. Je trouve cela bien troussé[2], et il y a là-dedans de petits dictons assez jolis.

---

1. *qui manquera... dieux !* : que les dieux punissent celui qui manquera de constance !
2. *bien troussé* : bien tourné.

MAÎTRE À DANSER. Voici, pour mon affaire, un petit essai des plus beaux mouvements, des plus belles attitudes dont une danse puisse être variée.

M. JOURDAIN. Sont-ce encore des bergers ?

MAÎTRE À DANSER. C'est ce qu'il vous plaira. Allons.

(Quatre danseurs exécutent tous les mouvements différents et toutes les sortes de pas que le Maître à danser leur commande ; et cette danse fait le premier intermède.)

Petit ballet (I, 2).

Questions

Compréhension

1. *a) M. Jourdain vous paraît-il ignorant ou cultivé ? Intelligent ou stupide ? Justifiez votre réponse en examinant ses goûts et la façon dont il s'exprime.*
b) Le trouvez-vous sympathique ? Pourquoi ?
c) Correspond-il au portrait qu'en avaient ébauché les maîtres ?

2. *a) D'après la réplique des lignes 96 à 97, M. Jourdain est-il déjà l'élève des maîtres présents ?*
b) Qu'est-ce qui justifie alors leur présence ? Qu'attendent-ils de M. Jourdain ?
c) Que veut prouver chacun des maîtres ? Pensez-vous que tous les arguments qu'ils utilisent soient justes ? Justifiez votre réponse.

Écriture

3. *a) Recherchez l'expression qui revient fréquemment dans la bouche de M. Jourdain. Elle sera le leitmotiv* de la pièce.*
b) Connaissez-vous des expressions utilisées ainsi à plusieurs reprises par des personnages dans d'autres pièces de Molière ? Dans des pièces d'autres auteurs ? Dans d'autres formes de littérature (roman, bande dessinée...) ?

4. *Dans le discours que tiennent les maîtres (en particulier de la ligne 100 à la ligne 147) :*
a) Relevez ce qui vous semble hyperbolique : tournures de phrases, adjectifs, adverbes, substantifs...*
b) À quoi les interventions de M. Jourdain se limitent-elles ? Quels sont ses sentiments vis-à-vis des maîtres ?
c) Les maîtres vous semblent-ils sincères ? Quelles réactions suscitent-ils en vous ?

5. *a) Relevez tout au long de la scène les passages où les maîtres font des compliments à M. Jourdain.*
b) Quel est leur but en s'exprimant ainsi ?
c) Comment appelle-t-on celui qui fait des louanges excessives ?
d) Comment M. Jourdain réagit-il à ces compliments ? Quel trait de caractère du bourgeois apparaît donc ?
e) Connaissez-vous une fable de La Fontaine où l'un des « personnages » a la même attitude que les maîtres ? Quelle est la morale de cette fable ?

6. *Pour bien comprendre une scène, il est souvent utile d'étudier*

sa composition. Les réponses que vous avez données aux questions ci-dessus vous y aideront.*
a) La scène comprend trois mouvements : donnez un titre à chacun d'entre eux.*
b) Qu'en concluez-vous : sur les préoccupations essentielles de M. Jourdain ? Sur ce qu'il attend des gens qui sont à son service ?

Mise en scène

7. *Imaginez les déplacements et les mimiques des personnages pour mettre en évidence le caractère et les buts de chacun.*

8. *À l'époque de Molière, le genre de la « pastorale » était très à la mode.*
a) Recherchez-en la définition exacte et les thèmes principaux.
b) Connaissez-vous des chansons françaises traditionnelles d'inspiration pastorale ?
c) Si vous étiez « costumier » (ère), comment habilleriez-vous les musiciens ?

Bilan

Méthode

Pour bien rendre compte d'une histoire, il existe une méthode simple : avant de commencer, posez-vous les bonnes questions, celles qui feront comprendre, à ceux qui vous liront ou vous écouteront, l'histoire avec précision et clarté.

Les questions	Ce qu'elles permettent de définir
– Où ?	→ Le lieu
– Quand ?	→ L'époque
– Qui ?	→ Les personnages
– Quoi ?	→ L'action
et éventuellement :	
Pendant combien de temps ?	→ La durée de l'action
Pourquoi ?	→ Les causes de l'action
Dans quel but ?	→ Les intentions des personnages

L'action

• Ce que nous savons

L'action n'est pas réellement engagée, l'exposition n'est donc pas achevée. Pourtant nous savons que :*

– L'histoire se déroule au XVIIe siècle, dans la demeure d'un bourgeois riche et ignorant nommé M. Jourdain. Il rêve de devenir un gentilhomme.

– Autour de lui, gravitent des professeurs, appelés « maîtres », qu'il a engagés pour s'initier aux usages de la noblesse, mais qui sont surtout intéressés par son argent. Ils veulent s'enrichir à ses dépens, en profitant de son ignorance, de sa naïveté et de sa prétention.

• Ce que nous ignorons

– Que pense son entourage proche de ces désirs d'ascension sociale ? Sa famille, ses amis sont-ils en accord ou en désaccord avec lui ? Seront-ils donc des adjuvants ou des opposants* ?*

– Parviendra-t-il, grâce à son « éducation tardive », à réaliser ses ambitions ?

– Quelle place « le grand seigneur éclairé » mentionné à la scène 1 occupera-t-il dans la suite de la pièce ?

Les personnages

• Ce que nous savons

Le maître de musique et le maître à danser : ils ont chacun une très haute idée de leur art mais leurs opinions divergent sur les intérêts qu'ils en retirent, matériellement, moralement, spirituellement. Ils sont pourtant complices dans leur intention de profiter le plus possible de M. Jourdain.

M. Jourdain, présenté indirectement par les maîtres, puis directement par son entrée en scène, est rapidement campé : c'est un riche bourgeois qui, à défaut d'être noble de naissance, veut acquérir tous les signes extérieurs de la noblesse, ou plus exactement ce qu'il croit en être les caractéristiques (culture, raffinement dans les manières, habillement...). Mais il n'a ni intelligence, ni discernement et se montre d'une vanité criante et stupide. D'ores et déjà, le spectateur comprend que M. Jourdain ne parvient pas à distinguer l'apparence de la réalité et qu'il est le jouet de multiples illusions.

• Ce que nous ignorons

Un personnage reste énigmatique : le grand « seigneur éclairé » ; les maîtres sous-entendent que ce noble est dépourvu d'argent. Est-il un ami désintéressé de M. Jourdain ?

L'écriture

• Ce que nous savons

La pièce est une comédie-ballet : ce genre consiste à « entremêler la comédie de divertissements chantés et dansés ». Ainsi en témoignent le dialogue en musique et la danse de la fin de l'acte I.

• Pour aller plus loin

Molière installe d'emblée le spectateur dans le comique dont il utilise la plupart des formes.*

Il est évident que ce qui déclenche le rire, c'est souvent l'alliance des procédés comiques. Recherchez dans l'acte I des exemples pour illustrer certains des procédés comiques que vous trouverez développés dans le Lexique stylistique à la fin de ce livre.*

ACTE II

SCÈNE PREMIÈRE. M. JOURDAIN, MAÎTRE DE MUSIQUE, MAÎTRE À DANSER, LAQUAIS

M. JOURDAIN. Voilà qui n'est point sot, et ces gens-là se trémoussent[1] bien.

MAÎTRE DE MUSIQUE. Lorsque la danse sera mêlée avec la musique, cela fera plus d'effet encore, et vous verrez
5 quelque chose de galant dans le petit ballet que nous avons ajusté pour vous.

M. JOURDAIN. C'est pour tantôt au moins ; et la personne pour qui j'ai fait faire tout cela me doit faire l'honneur de venir dîner[2] céans•.

10 MAÎTRE À DANSER. Tout est prêt.

MAÎTRE DE MUSIQUE. Au reste, monsieur, ce n'est pas assez : il faut qu'une personne comme vous, qui êtes magnifique[3] et qui avez de l'inclination[4] pour les belles choses, ait un concert de musique chez soi tous les mer-
15 credis ou tous les jeudis.

M. JOURDAIN. Est-ce que les gens de qualité en ont ?

MAÎTRE DE MUSIQUE. Oui, monsieur.

M. JOURDAIN. J'en aurai donc. Cela sera-t-il beau ?

MAÎTRE DE MUSIQUE. Sans doute. Il vous faudra trois
20 voix : un dessus[5], une haute-contre, et une basse, qui

---

1. *se trémoussent* : s'agitent avec de petits mouvements rapides et irréguliers.
2. *dîner* : au XVIIe s., le dîner correspond à notre déjeuner ; le repas du soir s'appelle le souper.
3. *magnifique* : qui dépense sans compter.
4. *inclination* : penchant, goût prononcé.
5. *un dessus...* : suite de termes techniques que l'on peut transcrire ainsi : un dessus, un ténor ; une haute-contre, un soprano ; une basse de viole, un grand violon à sept cordes ; un théorbe, une sorte de luth à six cordes ou plus, ancêtre de la guitare ; des basses continues, suite d'accords qui soutiennent le chant ; un clavecin, un instrument à clavier, ancêtre du piano ; des dessus de violon, des violons au timbre le plus aigu ; les ritornelles, petits motifs musicaux qui précédaient ou suivaient les morceaux chantés.

seront accompagnées d'une basse de viole, d'un théorbe, et d'un clavecin pour les basses continues, avec deux dessus de violon pour jouer les ritornelles.

M. JOURDAIN. Il y faudra mettre aussi une trompette marine[1]. La trompette marine est un instrument qui me plaît, et qui est harmonieux.

MAÎTRE DE MUSIQUE. Laissez-nous gouverner les choses.

M. JOURDAIN. Au moins n'oubliez pas tantôt de m'envoyer des musiciens, pour chanter à table.

MAÎTRE DE MUSIQUE. Vous aurez tout ce qu'il vous faut.

M. JOURDAIN. Mais surtout, que le ballet soit beau.

MAÎTRE DE MUSIQUE. Vous en serez content, et, entre autres choses, de certains menuets[2] que vous y verrez.

M. JOURDAIN. Ah ! les menuets sont ma danse, et je veux que vous me les voyiez danser. Allons, mon maître.

MAÎTRE À DANSER. Un chapeau, monsieur, s'il vous plaît. La, la, la ; La, la, la, la, la, la ; La, la, la, *bis* ; La, la, la ; La, la. En cadence, s'il vous plaît. La, la, la, la. La jambe droite. La, la, la. Ne remuez point tant les épaules. La, la, la, la, la ; La, la, la, la, la. Vos deux bras sont estropiés. La, la, la, la, la. Haussez la tête. Tournez la pointe du pied en dehors. La, la, la. Dressez votre corps.

M. JOURDAIN. Euh ?

MAÎTRE DE MUSIQUE. Voilà qui est le mieux du monde.

M. JOURDAIN. À propos. Apprenez-moi comme il faut faire une révérence pour saluer une marquise : j'en aurai besoin tantôt•.

MAÎTRE À DANSER. Une révérence pour saluer une marquise ?

M. JOURDAIN. Oui : une marquise qui s'appelle Dorimène.

---

1. *trompette marine* : sorte de mandoline à une seule corde qui produit une espèce de ronflement.
2. *menuet* : danse à trois temps, grave et gracieuse.

MAÎTRE À DANSER. Donnez-moi la main.

55 M. JOURDAIN. Non. Vous n'avez qu'à faire : je le retiendrai bien.

MAÎTRE À DANSER. Si vous voulez la saluer avec beaucoup de respect, il faut faire d'abord une révérence en arrière, puis marcher vers elle avec trois révérences en
60 avant, et à la dernière vous baisser jusqu'à ses genoux.

M. JOURDAIN. Faites un peu. Bon.

PREMIER LAQUAIS. Monsieur, voilà votre maître d'armes qui est là.

M. JOURDAIN. Dis-lui qu'il entre ici pour me donner
65 leçon. Je veux que vous me voyiez faire.

Leçon de menuet (II, 1).

Questions

Compréhension

1. *Un nouveau personnage est évoqué à plusieurs reprises. Montrez que M. Jourdain reste mystérieux et ne révèle que peu à peu l'identité de ce personnage. Pourquoi ?*

2. *M. Jourdain est-il un élève docile ? Justifiez votre réponse.*

3. *a) Quel est le titre de noblesse de Dorimène ?*
b) Recherchez la hiérarchie des titres de la noblesse française.

Écriture / Réécriture

4. *Que révèlent les répliques « je veux que vous me les voyiez danser », ligne 36 « je veux que vous me voyiez faire », ligne 65, sur le caractère de M. Jourdain ? Soyez attentifs aux modes et aux temps des verbes.*

5. *Autrefois, dans certains milieux aisés, des professeurs venaient enseigner à domicile.*
a) Comment appelait-on ces professeurs particuliers ? Connaissez-vous des œuvres (littéraires, cinématographiques, picturales) où l'on en rencontre ?
b) De nos jours, existe-t-il encore des cours à domicile ? Dans quels domaines (scolaire, extrascolaire) ?
c) Et vous, si vous en aviez le choix, que préféreriez-vous ? Classez dans un tableau les arguments en faveur de l'enseignement à domicile d'un côté, et d'un autre côté, ceux en faveur de l'enseignement dans des écoles.

Mise en scène

6. *Qu'est-ce qu'un menuet ? Essayez de jouer la scène en musique à l'aide de la partition du menuet de Lully figurant p. 33.*

7. *Dossier : La représentation du* Bourgeois gentilhomme *en 1670. D'après les didascalies*, en lisant les textes figurant dans le Parcours thématique de ce livre et en vous inspirant de diverses gravures et photos, représentez graphiquement le costume de M. Jourdain, décrit acte II, scène 5.*

8. *Une mise en scène récente a actualisé le* Bourgeois gentilhomme *et a transformé le menuet en un rock'n roll.*
a) Recherchez une musique de rock'n roll qui pourrait servir à cette leçon de danse au XX*e* *siècle.*
b) Que pensez-vous de cette liberté qu'a prise le metteur en scène ?

Le Bourgeois Gentilhomme

35

Maistre de Musique.
Vous aurez tout ce qu'il vous faut.
Monsieur Jourdain.
Mais sur tout, que le Ballet soit beau.
Maistre de Musique.
Vous en serez content ; et entr'autres choses de certains menuets que vous y verrez.
Monsieur Jourdain.
ah les Menuets sont ma dance, et je veux que vous me les voyez danser, allons mon maistre.
Maistre a dancer
Un chapeau monsieur, s'il vous plaist.

Monsieur Jourdain.
Euh.
Maistre de Musique.
Voila qui est le mieux du monde.
Monsieur Jourdain
A propos, apprenez-moy comme il faut faire une reverence pour saluer une marquise, j'en auray besoin tantost.
Maistre a Dancer.
Une reverence pour saluer une Marquise.
Monsieur Jourdain
Oüy une Marquise qui s'appelle Dorimene.

SCÈNE 2. Maître d'armes, Maître de musique, Maître à danser, M. Jourdain, deux laquais

Maître d'armes, *après lui avoir mis le fleuret à la main.* Allons, monsieur, la révérence[1]. Votre corps droit. Un peu penché sur la cuisse gauche. Les jambes point tant écartées. Vos pieds sur une même ligne. Votre
5 poignet à l'opposite[2] de votre hanche. La pointe de votre épée vis-à-vis de votre épaule. Le bras pas tout à fait si étendu. La main gauche à la hauteur de l'œil. L'épaule gauche plus quartée[3]. La tête droite. Le regard assuré. Avancez. Le corps ferme. Touchez-moi l'épée de
10 quarte[4], et achevez de même. Une, deux. Remettez-vous. Redoublez[5] de pied ferme. Un saut en arrière. Quand vous portez la botte[6], monsieur, il faut que l'épée parte la première, et que le corps soit bien effacé. Une, deux. Allons, touchez-moi l'épée de tierce, et achevez de
15 même. Avancez. Le corps ferme. Avancez. Partez de là. Une, deux. Remettez-vous. Redoublez. Un saut en arrière. En garde, monsieur, en garde.
(Le Maître d'armes lui pousse deux ou trois bottes, en lui disant : « En garde ».)

M. Jourdain. Euh ?

Maître de musique. Vous faites des merveilles.

20 Maître d'armes. Je vous l'ai déjà dit, tout le secret des armes ne consiste qu'en deux choses, à donner, et à ne point recevoir ; et comme je vous fis voir l'autre jour par raison démonstrative[7], il est impossible que vous receviez, si vous savez détourner l'épée de votre ennemi de
25 la ligne de votre corps : ce qui ne dépend seulement que

---

1. *révérence* : salut aux armes, différent de la marque de respect.
2. *à l'opposite* : à la hauteur de.
3. *quartée* : effacée, comme doit être l'épaule gauche dans la position de quarte.
4. *quarte, tierce* : manières d'attaquer différentes par la position de la main et du fleuret.
5. *redoublez* : recommencez.
6. *botte* : coup de fleuret ou d'épée.
7. *raison démonstrative* : en rhétorique (art de bien s'exprimer), raisonnement qui prouve avec évidence.

d'un petit mouvement du poignet ou en dedans, ou en dehors.

M. JOURDAIN. De cette façon donc, un homme, sans avoir du cœur[1], est sûr de tuer son homme, et de n'être
30 point tué ?

MAÎTRE D'ARMES. Sans doute. N'en vîtes-vous pas la démonstration ?

M. JOURDAIN. Oui.

MAÎTRE D'ARMES. Et c'est en quoi l'on voit de quelle
35 considération, nous autres, nous devons être dans un État, et combien la science des armes l'emporte hautement sur toutes les autres sciences inutiles, comme la danse, la musique, la...

MAÎTRE À DANSER. Tout beau[2], monsieur le tireur
40 d'armes : ne parlez de la danse qu'avec respect.

MAÎTRE DE MUSIQUE. Apprenez, je vous prie, à mieux traiter l'excellence de la musique.

MAÎTRE D'ARMES. Vous êtes de plaisantes gens, de vouloir comparer vos sciences à la mienne !

45 MAÎTRE DE MUSIQUE. Voyez un peu l'homme d'importance !

MAÎTRE À DANSER. Voilà un plaisant animal, avec son plastron[3] !

MAÎTRE D'ARMES. Mon petit maître à danser, je vous
50 ferais danser comme il faut. Et vous, mon petit musicien, je vous ferais chanter de la belle manière.

MAÎTRE À DANSER. Monsieur le batteur de fer[4], je vous apprendrai votre métier.

M. JOURDAIN, *au Maître à danser.* Êtes-vous fou de l'al-
55 ler quereller, lui qui entend la tierce et la quarte, et qui sait tuer un homme par raison démonstrative ?

1. *cœur* : courage.
2. *tout beau* : tout doucement.
3. *plastron* : pièce de cuir rembourrée que les escrimeurs portent sur la poitrine.
4. *batteur de fer* : ferrailleur.

MAÎTRE À DANSER. Je me moque de sa raison démonstrative, et de sa tierce et de sa quarte.

M. JOURDAIN. Tout doux, vous dis-je.

60 MAÎTRE D'ARMES. Comment? petit impertinent.

M. JOURDAIN. Eh! mon Maître d'armes.

MAÎTRE À DANSER. Comment? grand cheval de carrosse[1].

M. JOURDAIN. Eh! mon Maître à danser.

65 MAÎTRE D'ARMES. Si je me jette sur vous...

M. JOURDAIN. Doucement.

MAÎTRE À DANSER. Si je mets sur vous la main...

M. JOURDAIN. Tout beau.

MAÎTRE D'ARMES. Je vous étrillerai[2] d'un air...

70 M. JOURDAIN. De grâce!

MAÎTRE À DANSER. Je vous rosserai d'une manière...

M. JOURDAIN. Je vous prie.

MAÎTRE DE MUSIQUE. Laissez-nous un peu lui apprendre à parler.

75 M. JOURDAIN. Mon Dieu! arrêtez-vous.

1. *cheval de carrosse* : brutal et lourd comme un cheval de trait.
2. *étrillerai* : battrai.

Questions

Compréhension

1. *a) Comment l'entrée en scène du maître d'armes se fait-elle ?*
b) Correspond-elle au personnage et à sa fonction ?
c) Quel effet a-t-elle sur le spectateur ?

2. *a) Pour quelle raison M. Jourdain veut-il connaître la science des armes ? Relevez la réplique* qui l'indique.*
b) Quel nouveau trait de caractère du héros apparaît ainsi ?

3. *Quel rôle M. Jourdain joue-t-il dans la dispute des maîtres ?*

4. *En définitive, qui vous semble le plus ridicule dans cette scène ?*

Écriture

5. *La dispute des maîtres.*
a) Comment naît-elle ?
b) Comment progresse-t-elle ?
c) Relevez les termes d'injures et expliquez-les.
d) Relevez les verbes entre la ligne 65 et 71. Qu'ont-ils en commun ? Qu'en concluez-vous ?

Mise en scène

6. *Jouez le début de la scène à deux (jusqu'à « en garde ») en mettant en évidence l'habileté du maître et la gaucherie de M. Jourdain.*

7. *Dossier : La représentation du Bourgeois gentilhomme en 1670.*
Recherchez des reproductions représentant un combat en duel à l'épée au XVIIe siècle (habillement, armes, position des combattants).

8. *Dossier : M. Jourdain à la fin du XXe siècle.*
Quels seraient les moyens de le flatter ?

SCÈNE 3. MAÎTRE DE PHILOSOPHIE, MAÎTRE DE MUSIQUE, MAÎTRE À DANSER, MAÎTRE D'ARMES, M. JOURDAIN, LAQUAIS

M. JOURDAIN. Holà, monsieur le philosophe, vous arrivez tout à propos avec votre philosophie. Venez un peu mettre la paix entre ces personnes-ci.

MAÎTRE DE PHILOSOPHIE. Qu'est-ce donc ? qu'y a-t-il,
5 messieurs ?

M. JOURDAIN. Ils se sont mis en colère pour la préférence[1] de leurs professions, jusqu'à se dire des injures, et vouloir en venir aux mains.

MAÎTRE DE PHILOSOPHIE. Hé quoi ? messieurs, faut-il
10 s'emporter de la sorte ? et n'avez-vous point lu le docte[2] traité que Sénèque[3] a composé de la colère ? Y a-t-il rien de plus bas et de plus honteux que cette passion, qui fait d'un homme une bête féroce ? et la raison ne doit-elle pas être maîtresse de tous nos mouvements ?

15 MAÎTRE À DANSER. Comment, monsieur, il vient nous dire des injures à tous deux, en méprisant la danse que j'exerce, et la musique dont il fait profession ?

MAÎTRE DE PHILOSOPHIE. Un homme sage est au-dessus de toutes les injures[4] qu'on lui peut dire, et la grande
20 réponse qu'on doit faire aux outrages[5], c'est la modération et la patience.

MAÎTRE D'ARMES. Ils ont tous deux l'audace de vouloir comparer leurs professions à la mienne.

MAÎTRE DE PHILOSOPHIE. Faut-il que cela vous émeuve ?
25 Ce n'est pas de vaine gloire et de condition que les hommes doivent disputer[6] entre eux ; et ce qui nous dis

---

1. *préférence* : supériorité.
2. *docte* : savant.
3. *Sénèque* : philosophe de l'Antiquité romaine (vers 4 av. J.C.-65 ap. J.C.), auteur, entre autres ouvrages, de *De Ira* (Sur la colère).
4. *injure* : offense grave et délibérée.
5. *outrages* : offenses ou injures extrêmement graves.
6. *disputer* : discuter.

tingue parfaitement les uns des autres, c'est la sagesse et la vertu.

MAÎTRE À DANSER. Je lui soutiens que la danse est une
30 science à laquelle on ne peut faire assez d'honneur.

MAÎTRE DE MUSIQUE. Et moi, que la musique en est une que tous les siècles ont révérée[1].

MAÎTRE D'ARMES. Et moi, je leur soutiens à tous deux que la science de tirer des armes est la plus belle et la
35 plus nécessaire de toutes les sciences.

MAÎTRE DE PHILOSOPHIE. Et que sera donc la philosophie ? Je vous trouve tous trois bien impertinents de parler devant moi avec cette arrogance, et de donner impudemment le nom de science à des choses que l'on ne
40 doit pas même honorer du nom d'art, et qui ne peuvent être comprises que sous le nom de métier misérable de gladiateur, de chanteur et de baladin[2] !

MAÎTRE D'ARMES. Allez, philosophe de chien.

MAÎTRE DE MUSIQUE. Allez, bélître[3] de pédant.

45 MAÎTRE À DANSER. Allez, cuistre[4] fieffé[5].

MAÎTRE DE PHILOSOPHIE. Comment ? marauds[6] que vous êtes...

(Le Philosophe se jette sur eux, et tous trois le chargent de coups, et sortent en se battant.)

M. JOURDAIN. Monsieur le Philosophe !

MAÎTRE DE PHILOSOPHIE. Infâmes ! coquins ! insolents !

50 M. JOURDAIN. Monsieur le Philosophe !

MAÎTRE D'ARMES. La peste l'animal[7] !

M. JOURDAIN. Messieurs !

MAÎTRE DE PHILOSOPHIE. Impudents[8] !

---

1. *révérée* : honorée.
2. *baladin* : danseur (terme méprisant).
3. *bélître* : homme de rien, coquin.
4. *cuistre* : pédant, vaniteux et ridicule.
5. *fieffé* : qui possède un défaut au plus haut degré, dont il est esclave comme d'un fief.
6. *maraud* : canaille.
7. *la peste l'animal !* : que la peste emporte l'animal !
8. *impudents* : effrontés, impertinents.

M. JOURDAIN. Monsieur le Philosophe!

55 MAÎTRE À DANSER. Diantre[1] soit de l'âne bâté[2]!

M. JOURDAIN. Messieurs!

MAÎTRE DE PHILOSOPHIE. Scélérats!

M. JOURDAIN. Monsieur le Philosophe!

MAÎTRE DE MUSIQUE. Au diable l'impertinent!

60 M. JOURDAIN. Messieurs!

MAÎTRE DE PHILOSOPHIE. Fripons! gueux! traîtres! imposteurs!

(Ils sortent.)

M. JOURDAIN. Monsieur le Philosophe, messieurs, monsieur le Philosophe, messieurs, monsieur le Philo-
65 sophe! Oh! battez-vous tant qu'il vous plaira : je n'y saurais que faire, et n'irai pas gâter ma robe pour vous séparer. Je serais bien fou de m'aller fourrer parmi eux, pour recevoir quelque coup qui me ferait mal.

Monsieur Jourdain (Louis Seigner) et le maître de philosophie (Denis d'Inès), Comédie-Française.

1. *diantre soit de...!* : qu'aille au diable...!
2. *bâté* : ignorant, sot.

Questions

Compréhension

1. *Recherchez la définition du mot «philosophie» en ayant recours à l'étymologie*.*

2. *Au début de la scène, le maître de philosophie semble différent des autres. Montrez en quoi il se distingue dans son discours, en étudiant la ponctuation, le vocabulaire, les formules de portée générale.*

3. *À quel moment la scène bascule-t-elle ? Pour quelle raison précise ?*

4. *Le comportement du maître de philosophie est-il conforme à la définition que vous avez cherchée en 1 ?*

5. *a) Pourquoi les maîtres étaient-ils réunis chez M. Jourdain ?*
b) Quel intérêt commun avaient-ils ?
c) Qu'oublient-ils ?
d) Portez un jugement sur leur comportement.

Écriture / Réécriture

6. *La scène 3 est le prolongement de la scène 2 : mettez en évidence leurs similitudes et leurs différences.*

7. *Pourquoi cette scène reste-t-elle malgré tout comique* ?*

8. *Imaginez une situation où trois à quatre personnes se querellent alors qu'au départ, elles étaient réunies pour une cause commune (collaboration, jeu, sport...). Exposez clairement l'enjeu de leur réunion, puis racontez la querelle elle-même, et enfin le résultat obtenu. Vous ferez intervenir des dialogues et veillerez à vous limiter à des termes décents.*

Mise en scène

9. *Recherchez dans des bandes dessinées des représentations de disputes et faites-en une photocopie. Puis, en quatre à six vignettes au maximum, représentez la scène 3 sous forme de B.D., en ne conservant dans les bulles que ce qui vous semble le plus expressif.*

SCÈNE 4. MAÎTRE DE PHILOSOPHIE, M. JOURDAIN

MAÎTRE DE PHILOSOPHIE, *en raccommodant son collet*[1]. Venons à notre leçon.

M. JOURDAIN. Ah ! monsieur, je suis fâché des coups qu'ils vous ont donnés.

5 MAÎTRE DE PHILOSOPHIE. Cela n'est rien. Un philosophe sait recevoir comme il faut les choses, et je vais composer contre eux une satire• du style de Juvénal[2], qui les déchirera de la belle façon. Laissons cela. Que voulez-vous apprendre ?

10 M. JOURDAIN. Tout ce que je pourrai, car j'ai toutes les envies du monde d'être savant ; et j'enrage que mon père et ma mère ne m'aient pas fait bien étudier dans toutes les sciences, quand j'étais jeune.

MAÎTRE DE PHILOSOPHIE. Ce sentiment est raison-
15 nable : *Nam sine doctrina vita est quasi mortis imago.* Vous entendez• cela, et vous savez le latin sans doute ?

M. JOURDAIN. Oui, mais faites comme si je ne le savais pas : expliquez-moi ce que cela veut dire.

MAÎTRE DE PHILOSOPHIE. Cela veut dire que *Sans la*
20 *science, la vie est presque une image de la mort.*

M. JOURDAIN. Ce latin-là a raison.

MAÎTRE DE PHILOSOPHIE. N'avez-vous point quelques principes, quelques commencements des sciences ?

M. JOURDAIN. Oh ! oui, je sais lire et écrire.

25 MAÎTRE DE PHILOSOPHIE. Par où vous plaît-il que nous commencions ? Voulez-vous que je vous apprenne la logique[3] ?

M. JOURDAIN. Qu'est-ce que c'est que cette logique ?

MAÎTRE DE PHILOSOPHIE. C'est elle qui enseigne les
30 trois opérations de l'esprit.

---

1. *collet* : rabat de toile blanche que l'on mettait sur le col du pourpoint.
2. *Juvenal* : poète latin (vers 60 ap. J.C.-vers 140 ap. J.-C.), auteur de seize satires.
3. *logique* : partie de la philosophie qui apprend à raisonner.

M. JOURDAIN. Qui[1] sont-elles, ces trois opérations de l'esprit ?

MAÎTRE DE PHILOSOPHIE. La première, la seconde et la troisième. La première est de bien concevoir par le
35 moyen des universaux[2]. La seconde, de bien juger par le moyen des catégories[3], et la troisième de bien tirer une conséquence par le moyen des figures[4] *Barbara, Celarent, Darii, Ferio, Baralipton*[5], etc.

M. JOURDAIN. Voilà des mots qui sont trop rébarbatifs.
40 Cette logique-là ne me revient point. Apprenons autre chose qui soit plus joli.

MAÎTRE DE PHILOSOPHIE. Voulez-vous apprendre la morale ?

M. JOURDAIN. La morale ?

45 MAÎTRE DE PHILOSOPHIE. Oui.

M. JOURDAIN. Qu'est-ce qu'elle dit cette morale ?

MAÎTRE DE PHILOSOPHIE. Elle traite de la félicité[6], enseigne aux hommes à modérer leurs passions, et...

M. JOURDAIN. Non, laissons cela. Je suis bilieux[7]
50 comme tous les diables ; et il n'y a morale qui tienne, je me veux mettre en colère tout mon soûl, quand il m'en prend envie.

MAÎTRE DE PHILOSOPHIE. Est-ce la physique[8] que vous voulez apprendre ?

55 M. JOURDAIN. Qu'est-ce qu'elle chante cette physique ?

---

1. *qui* : quelles.
2. *universaux* : caractères communs à plusieurs choses.
3. *catégories* : les dix classes selon lesquelles se répartissent les êtres : substance, quantité, qualité, relation, lien, temps, situation, avoir, agir, pâtir. Répartition faite par Aristote, philosophe grec (vers 384 av. J.C.-vers 322 av. J.C.).
4. *figures* : ordre des trois termes dont est formé le raisonnement appelé syllogisme.
5. *Barbara... Baralipton* : formules mnémotechniques (procédé qui utilise l'association d'idées pour retenir quelque chose) destinées à rappeler les principales dispositions du raisonnement.
6. *félicité* : bonheur.
7. *bilieux* : coléreux.
8. *physique* : au XVIIe siècle, ce terme englobe la connaissance de toute la nature matérielle (physique, chimie, astronomie, botanique, etc.).

MAÎTRE DE PHILOSOPHIE. La physique est celle qui explique les principes des choses naturelles et les propriétés du corps ; qui discourt de la nature des éléments, des métaux, des minéraux, des pierres, des plantes et des animaux, et nous enseigne les causes de tous les météores, l'arc-en-ciel, les feux volants[1], les comètes, les éclairs, le tonnerre, la foudre, la pluie, la neige, la grêle, les vents et les tourbillons[2].

M. JOURDAIN. Il y a trop de tintamarre là-dedans, trop de brouillamini[3].

MAÎTRE DE PHILOSOPHIE. Que voulez-vous donc que je vous apprenne ?

M. JOURDAIN. Apprenez-moi l'orthographe.

MAÎTRE DE PHILOSOPHIE. Très volontiers.

M. JOURDAIN. Après vous m'apprendrez l'almanach, pour savoir quand il y a de la lune et quand il n'y en a point.

MAÎTRE DE PHILOSOPHIE. Soit. Pour bien suivre votre pensée et traiter cette matière en philosophe, il faut commencer selon l'ordre des choses, par une exacte connaissance de la nature des lettres, et de la différente manière de les prononcer toutes. Et là-dessus j'ai à vous dire que les lettres sont divisées en voyelles, ainsi dites voyelles parce qu'elles expriment les voix[4], et en consonnes, ainsi appelées consonnes parce qu'elles sonnent avec les voyelles, et ne font que marquer les diverses articulations des voix. Il y a cinq voyelles ou voix : A, E, I, O, U.

M. JOURDAIN. J'entends• tout cela.

MAÎTRE DE PHILOSOPHIE. La voix A se forme en ouvrant fort la bouche : A[5].

M. JOURDAIN. A, A. Oui.

---

1. *feux-volants* : feux-follets.
2. *tourbillons* : tempêtes.
3. *brouillamini* : confusion.
4. *voix* : sons.
5. *A* : toutes les explications qui suivent, concernant les lettres, sont inspirées du *Discours physique de la parole*, traité de phonétique publié par M. de Cordemoy, en 1668.

MAÎTRE DE PHILOSOPHIE. La voix E se forme en rapprochant la mâchoire d'en bas de celle d'en haut : A, E.

90 M. JOURDAIN. A, E, A, E. Ma foi ! oui. Ah ! que cela est beau.

MAÎTRE DE PHILOSOPHIE. Et la voix I en rapprochant encore davantage les mâchoires l'une de l'autre, et écartant les deux coins de la bouche vers les oreilles : A, E, I.

95 M. JOURDAIN. A, E, I, I, I, I. Cela est vrai. Vive la science !

MAÎTRE DE PHILOSOPHIE. La voix O se forme en rouvrant les mâchoires, et rapprochant les lèvres par les deux coins, le haut et le bas : O.

100 M. JOURDAIN. O, O. Il n'y a rien de plus juste. A, E, I, O, I, O. Cela est admirable ! I, O, I, O.

MAÎTRE DE PHILOSOPHIE. L'ouverture de la bouche fait justement comme un petit rond qui représente un O.

M. JOURDAIN. O, O, O. Vous avez raison, O. Ah ! la
105 belle chose que de savoir quelque chose !

MAÎTRE DE PHILOSOPHIE. La voix U se forme en rapprochant les dents sans les joindre entièrement, et allongeant les deux lèvres en dehors, les approchant aussi l'une de l'autre sans les joindre tout à fait : U.

110 M. JOURDAIN. U, U. Il n'y a rien de plus véritable : U.

MAÎTRE DE PHILOSOPHIE. Vos deux lèvres s'allongent comme si vous faisiez la moue : d'où vient que si vous la voulez faire à quelqu'un, et vous moquer de lui, vous ne sauriez lui dire que : U.

115 M. JOURDAIN. U, U. Cela est vrai. Ah ! que n'ai-je étudié plus tôt, pour savoir tout cela ?

MAÎTRE DE PHILOSOPHIE. Demain, nous verrons les autres lettres, qui sont les consonnes.

M. JOURDAIN. Est-ce qu'il y a des choses aussi
120 curieuses qu'à celles-ci ?

MAÎTRE DE PHILOSOPHIE. Sans doute. La consonne D, par exemple, se prononce en donnant du bout de la langue au-dessus des dents d'en haut ! Da.

M. JOURDAIN. Da, Da. Oui. Ah! les belles choses! les
125 belles choses!

MAÎTRE DE PHILOSOPHIE. L'F en appuyant les dents d'en haut sur la lèvre de dessous : Fa.

M. JOURDAIN. Fa, Fa. C'est la vérité. Ah! mon père et ma mère, que je vous veux de mal!

130 MAÎTRE DE PHILOSOPHIE. Et l'R, en portant le bout de la langue jusqu'au haut du palais, de sorte qu'étant frôlée par l'air qui sort avec force, elle lui cède, et revient toujours au même endroit, faisant une manière de tremblement : Rra.

135 M. JOURDAIN. R, r, ra, R, r, r, r, r, ra. Cela est vrai. Ah! l'habile homme que vous êtes! et que j'ai perdu de temps! R, r, r, ra.

MAÎTRE DE PHILOSOPHIE. Je vous expliquerai à fond toutes ces curiosités.

140 M. JOURDAIN. Je vous en prie. Au reste, il faut que je vous fasse une confidence. Je suis amoureux d'une personne de grande qualité, et je souhaiterais que vous m'aidassiez à lui écrire quelque chose dans un petit billet que je veux laisser tomber à ses pieds.

145 MAÎTRE DE PHILOSOPHIE. Fort bien.

M. JOURDAIN. Cela sera galant, oui?

MAÎTRE DE PHILOSOPHIE. Sans doute. Sont-ce des vers que vous lui voulez écrire?

M. JOURDAIN. Non, non, point de vers.

150 MAÎTRE DE PHILOSOPHIE. Vous ne voulez que de la prose?

M. JOURDAIN. Non, je ne veux ni prose ni vers.

MAÎTRE DE PHILOSOPHIE. Il faut bien que ce soit l'un ou l'autre.

155 M. JOURDAIN. Pourquoi?

MAÎTRE DE PHILOSOPHIE. Par la raison, monsieur, qu'il n'y a pour s'exprimer que la prose ou les vers.

M. JOURDAIN. Il n'y a que la prose ou les vers?

MAÎTRE DE PHILOSOPHIE. Non[1], monsieur : tout ce qui
160 n'est point prose est vers ; et tout ce qui n'est point vers est prose.

M. JOURDAIN. Et comme l'on parle, qu'est-ce que c'est donc que cela ?

MAÎTRE DE PHILOSOPHIE. De la prose.

165 M. JOURDAIN. Quoi ? quand je dis : « Nicole apportez-moi mes pantoufles et me donnez mon bonnet de nuit », c'est de la prose ?

MAÎTRE DE PHILOSOPHIE. Oui, monsieur.

M. JOURDAIN. Par ma foi ! il y a plus de quarante ans
170 que je dis de la prose sans que j'en susse rien, et je vous suis le plus obligé du monde de m'avoir appris cela. Je voudrais donc lui mettre dans un billet : *Belle marquise, vos beaux yeux me font mourir d'amour ;* mais je voudrais que cela fût mis d'une manière galante, que cela fût
175 tourné gentiment[2].

MAÎTRE DE PHILOSOPHIE. Mettre que les feux de ses yeux réduisent votre cœur en cendres ; que vous souffrez nuit et jour pour elle les violences d'un...

M. JOURDAIN. Non, non, non, je ne veux point tout
180 cela ; je ne veux que ce que je vous ai dit : *Belle marquise, vos beaux yeux me font mourir d'amour.*

MAÎTRE DE PHILOSOPHIE. Il faut bien étendre un peu la chose.

M. JOURDAIN. Non, vous dis-je, je ne veux que ces
185 seules paroles-là dans le billet ; mais tournées à la mode, bien arrangées comme il faut. Je vous prie de me dire un peu, pour voir, les diverses manières dont on les peut mettre.

MAÎTRE DE PHILOSOPHIE. On les peut mettre première-
190 ment comme vous avez dit : *Belle marquise, vos beaux yeux me font mourir d'amour.* Ou bien : *D'amour mourir me font, belle marquise, vos beaux yeux.* Ou bien : *Vos*

---

1. *Non :* on attendrait plutôt « oui ».
2. *gentiment :* joliment.

yeux beaux d'amour me font, belle marquise, mourir. Ou bien : *Mourir vos beaux yeux, belle marquise, d'amour me*
195 *font.* Ou bien : *Me font vos yeux beaux mourir, belle marquise, d'amour.*

M. JOURDAIN. Mais de toutes ces façons-là, laquelle est la meilleure ?

MAÎTRE DE PHILOSOPHIE. Celle que vous avez dite :
200 *Belle marquise, vos beaux yeux me font mourir d'amour.*

M. JOURDAIN. Cependant je n'ai point étudié, et j'ai fait cela tout du premier coup. Je vous remercie de tout mon cœur, et vous prie de venir demain de bonne heure.

MAÎTRE DE PHILOSOPHIE. Je n'y manquerai pas.

205 M. JOURDAIN, *à son laquais.* Comment ? mon habit n'est point encore arrivé ?

SECOND LAQUAIS. Non, monsieur.

M. JOURDAIN. Ce maudit tailleur me fait bien attendre pour un jour où j'ai tant d'affaires. J'enrage. Que la fièvre
210 quartaine[1] puisse serrer[2] bien fort le bourreau de tailleur ! Au diable le tailleur ! La peste étouffe le tailleur ! Si je le tenais maintenant, ce tailleur détestable, ce chien de tailleur-là, ce traître de tailleur, je...

1. *fièvre quartaine* : fièvre intermittente qui revient tous les trois jours.
2. *serrer* : attaquer.

Questions

Compréhension

1. *Quelle est la composition* précise de la scène 4 ? Donnez un titre à chaque mouvement*.*

2. *a) Quels sont les différents enseignements que le maître de philosophie propose successivement ?*
b) Quelles sont les raisons avouées pour lesquelles M. Jourdain les refuse ? Vous pouvez regrouper vos réponses dans un tableau.
c) En fait, M. Jourdain désire-t-il réellement progresser ? Quelle est la raison inavouée de ses refus ? Nommez précisément le défaut dont il fait preuve.
d) En définitive, que décide-t-il d'étudier ? Comment appelle-t-on cette science de nos jours ?

3. *Que traduit de la part du maître de philosophie la réplique des lignes 66-67 ? Sur quel ton la diriez-vous ?*

4. *Quelles sont les deux découvertes essentielles que fait M. Jourdain ?*

5. *Dans la dernière partie de la scène, M. Jourdain fait une confidence. Quelle est-elle ? En quoi est-elle importante pour la compréhension de l'intrigue* ?*

Écriture / Réécriture

6. *Quelle est la valeur de l'adjectif démonstratif « cette » aux lignes 28-40-46-55 ?*

7. *a) Comment s'exprime l'enthousiasme de M. Jourdain devant les découvertes qu'il fait ? Soyez attentifs à la ponctuation et aux adjectifs attributs.*

8. *Quel trait de caractère la dernière réplique* de M. Jourdain révèle-t-elle ? Étiez-vous déjà au courant de ce défaut ?*

9. *Vous est-il déjà arrivé de prendre conscience du « fonctionnement scientifique » de quelque chose que vous utilisiez fréquemment et d'en être stupéfaits ? Racontez cette découverte en insistant sur les sentiments qu'elle a fait naître en vous.*

10. *Recherchez dans toutes les formes de littérature que vous connaissez (théâtre, roman, poésie, chanson...), des déclarations d'amour particulièrement belles.*

Mise en scène

11. *Face à un miroir, exercez-vous à prononcer les lettres comme le préconise le maître de philosophie ; puis jouez la scène de la ligne 85 à la ligne 139.*

12. *a) Recherchez dans d'autres œuvres artistiques (littéraires, cinématographiques, picturales...) la représentation de « leçons ». b) Pour chacune d'entre elles, rédigez un commentaire en commençant par : « cette leçon ressemble à celle du* Bourgeois *parce que... » ou « cette leçon ne ressemble pas à celle du* Bourgeois *parce que... »*

Fernand Raynaud (M. Jourdain) dans une mise en scène de Jean-Pierre Darras ; décor et costumes de Bernard Dayde ; théâtre Hébertot, octobre 1962.

SCÈNE 5. MAÎTRE TAILLEUR, GARÇON TAILLEUR, *portant l'habit de M. Jourdain,* M. JOURDAIN, LAQUAIS

M. JOURDAIN. Ah vous voilà ! je m'allais mettre en colère contre vous.

MAÎTRE TAILLEUR. Je n'ai pas pu venir plus tôt, et j'ai mis vingt garçons après votre habit.

5 M. JOURDAIN. Vous m'avez envoyé des bas de soie si étroits, que j'ai eu toutes les peines du monde à les mettre, et il y a déjà deux mailles de rompues.

MAÎTRE TAILLEUR. Ils ne s'élargiront que trop.

M. JOURDAIN. Oui, si je romps toujours des mailles.
10 Vous m'avez aussi fait faire des souliers qui me blessent furieusement[1].

MAÎTRE TAILLEUR. Point du tout, monsieur.

M. JOURDAIN. Comment, point du tout ?

MAÎTRE TAILLEUR. Non, ils ne vous blessent point.

15 M. JOURDAIN. Je vous dis qu'ils me blessent, moi.

MAÎTRE TAILLEUR. Vous vous imaginez cela.

M. JOURDAIN. Je me l'imagine, parce que je le sens. Voyez la belle raison !

MAÎTRE TAILLEUR. Tenez, voilà le plus bel habit de la
20 cour, et le mieux assorti. C'est un chef-d'œuvre que d'avoir inventé un habit sérieux qui ne fût pas noir ; et je le donne en six coups[2] aux tailleurs les plus éclairés.

M. JOURDAIN. Qu'est-ce que c'est que ceci ? Vous avez mis les fleurs en enbas[3].

25 MAÎTRE TAILLEUR. Vous ne m'aviez pas dit que vous les vouliez en enhaut.

M. JOURDAIN. Est-ce qu'il faut dire cela ?

---

1. *furieusement* : terriblement.
2. *en six coups* : terme de jeu qui met au défi de faire mieux que soi (par exemple en six coups ce que l'on fait en un).
3. *en enbas* : la corolle en bas et la tige en haut, donc à l'envers.

MAÎTRE TAILLEUR. Oui, vraiment. Toutes les personnes de qualité les portent de la sorte.

30 M. JOURDAIN. Les personnes de qualité portent les fleurs en enbas ?

MAÎTRE TAILLEUR. Oui, monsieur.

M. JOURDAIN. Oh ! voilà qui est donc bien.

MAÎTRE TAILLEUR. Si vous voulez, je les mettrai en
35 enhaut.

M. JOURDAIN. Non, non.

MAÎTRE TAILLEUR. Vous n'avez qu'à dire.

M. JOURDAIN. Non, vous dis-je ; vous avez bien fait. Croyez-vous que l'habit m'aille bien ?

40 MAÎTRE TAILLEUR. Belle demande ! Je défie un peintre, avec son pinceau, de vous faire rien de plus juste. J'ai chez moi un garçon qui, pour monter une rhingrave[1], est le plus grand génie du monde ; et un autre qui, pour assembler un pourpoint[2], est le héros de notre temps.

45 M. JOURDAIN. La perruque et les plumes sont-elles comme il faut ?

MAÎTRE TAILLEUR. Tout est bien.

M. JOURDAIN, *en regardant l'habit du tailleur.* Ah ! ah ! monsieur le tailleur, voilà de mon étoffe du dernier habit
50 que vous m'avez fait. Je la reconnais bien.

MAÎTRE TAILLEUR. C'est que l'étoffe me sembla si belle, que j'en ai voulu lever[3] un habit pour moi.

M. JOURDAIN. Oui, mais il ne fallait pas le lever avec le mien.

55 MAÎTRE TAILLEUR. Voulez-vous mettre votre habit ?

M. JOURDAIN. Oui, donnez-moi.

MAÎTRE TAILLEUR. Attendez. Cela ne va pas comme cela. J'ai amené des gens pour vous habiller en cadence, et ces sortes d'habits se mettent avec cérémonie. Holà !

---

1. *rhingrave* : culotte de cheval, très large, attachée par le bas avec des rubans, mise à la mode par un noble du Rhin (Rheingraf).
2. *pourpoint* : sorte de veste couvrant le torse.
3. *lever* : prendre et couper dans une pièce de tissu.

60 entrez, vous autres. Mettez cet habit à monsieur, de la manière que vous faites aux personnes de qualité.

(Quatre garçons tailleurs entrent, dont deux lui arrachent le haut-de-chausses de ses exercices, et deux autres la camisole•, puis ils lui mettent son habit neuf ; et M. Jourdain se promène entre eux, et leur montre son habit, pour voir s'il est bien. Le tout à la cadence de toute la symphonie.)

GARÇON TAILLEUR. Mon gentilhomme[1], donnez, s'il vous plaît, aux garçons quelque chose pour boire.

M. JOURDAIN. Comment m'appelez-vous ?

65 GARÇON TAILLEUR. Mon gentilhomme.

M. JOURDAIN. « Mon gentilhomme ! » Voilà ce que c'est de se mettre en personne de qualité. Allez-vous-en demeurer toujours habillé en bourgeois, on ne vous dira point : « Mon gentilhomme ». Tenez, voilà pour « Mon
70 gentilhomme ».

GARÇON TAILLEUR. Monseigneur[2], nous vous sommes bien obligés.

M. JOURDAIN. « Monseigneur », oh, oh ! « Monseigneur ! » Attendez, mon ami : « Monseigneur » mérite
75 quelque chose et ce n'est pas une petite parole que « Monseigneur ». Tenez, voilà ce que Monseigneur vous donne.

GARÇON TAILLEUR. Monseigneur, nous allons boire tous à la santé de Votre Grandeur[3].

80 M. JOURDAIN. « Votre Grandeur ! » Oh, oh, oh ! Attendez, ne vous en allez pas. A moi « Votre Grandeur ! » *(Bas, à part.)* Ma foi, s'il va jusqu'à l'Altesse[4], il aura toute la bourse. *(Haut.)* Tenez, voilà pour Ma Grandeur.

---

1. *gentilhomme* : titre donné à un noble.
2. *Monseigneur* : titre d'honneur donné aux très grands seigneurs.
3. *Votre Grandeur* : titre réservé aux évêques et aux plus grands seigneurs qui n'ont pas droit au titre d'Altesse ou d'Excellence.
4. *Votre Altesse* : titre donné aux princes et aux souverains.

GARÇON TAILLEUR. Monseigneur, nous la remercions
85 très humblement de ses libéralités[1].

M. JOURDAIN. Il a bien fait : je lui allais tout donner.

(Les quatre garçons tailleurs se réjouissent par une danse, qui fait le second intermède.)

Essai en cadence d'un habit ridicule (II, 5). Gravure, bibliothèque de l'Arsenal.

1. *libéralités* : générosités.

Questions

Compréhension

1. *Le tailleur se montre-t-il respectueux à l'égard de M. Jourdain ?*

2. *a) De quelles qualités fait-il preuve ?*
b) Quelles techniques utilise-t-il pour se justifier et n'en faire qu'à sa tête ?

3. *Montrez que le comique* va crescendo* tout au long de la scène.*

4. *a) Comment M. Jourdain se comporte-t-il face à l'argent ?*
b) Est-ce un défaut ou une qualité ?
c) Retrouvez dans l'acte I, scène 1, ce qui avait été dit concernant les rapports du bourgeois avec l'argent.

5. *Au cours de ces deux premiers actes, le caractère de M. Jourdain s'est peu à peu révélé sous nos yeux.*
a) Est-il antipathique ? Justifiez votre réponse.
b) N'a-t-il que des défauts ?
c) Faites un rapide bilan de son caractère.

Écriture

6. *Recherchez des expressions imagées synonymes de « flatter ».*

7. *Imaginez une scène de flatterie de la part d'un(e) vendeur (euse) lors de l'essayage d'un habit dans un magasin.*

8. *Recherchez le texte ou l'enregistrement du sketch de Fernand Raynaud intitulé* Le tailleur.

Mise en scène

9. *Recherchez une musique ou (et) des bruitages qui pourraient rythmer la dernière partie de la scène.*

10. *Au cours de ces deux premiers actes, vous avez pu constater que tous les personnages, hormis M. Jourdain, viennent de l'extérieur de la maison. Imaginez un procédé scénique qui mette en valeur ce défilé de personnages (bruitage, éclairage, jeu de scène, mise en valeur d'accessoires...).*

11. *Dossier : M. Jourdain à la fin du* XXe *siècle. Quels sont les vêtements qu'il porterait (style, marque, etc.) ?*

Bilan

L'action

• Ce que nous savons

L'exposition s'est poursuivie mais n'est pas encore achevée. Une intrigue* a commencé à se nouer. M. Jourdain est amoureux d'une femme qui est noble. Elle est marquise et s'appelle Dorimène.*

Nous avons fait plus ample connaissance avec le héros, M. Jourdain. Pour devenir le gentilhomme idéal, il s'initie : aux arts de la musique, de la danse, de l'escrime et de la philosophie (ou ce qu'il croit être la philosophie). Pensant avoir achevé sa transformation intellectuelle et artistique, il complète sa métamorphose en modifiant son aspect extérieur, et se fait habiller comme une personne « de qualité ».

• Ce que nous ignorons

Si nous savons maintenant plus précisément la teneur des rêves de M. Jourdain (socialement et sentimentalement), nous ignorons toujours la réalité de sa vie familiale. Jusqu'à présent, tous les personnages sont extérieurs à la maison.

L'amour que M. Jourdain porte à Dorimène est-il profond ? Est-il réciproque ? Mme Jourdain est-elle au courant de la situation ?

Les personnages

• Les maîtres

Quel que soit le domaine dans lequel ils enseignent, ils sont tous extrêmement prétentieux, pédants, coléreux et finalement peu pédagogues : ils se plient aux caprices de leur élève. Ils sont d'un opportunisme qui avoisine la malhonnêteté.

• Le tailleur

C'est un personnage amusant, un habile flatteur qui a compris comment fonctionne M. Jourdain et sait tirer le parti maximum de son « client », sans scrupule mais sans vanité non plus.

• M. Jourdain

Au travers de ses ambitions artistiques, intellectuelles et vestimentaires se confirme un personnage peu conforme à ce qu'il rêve de devenir. Son ignorance, sa naïveté stupide et désarmante, sa prétention, sa poltronnerie, son autoritarisme et sa paresse l'éloignent de l'idéal de gentilhomme auquel il aspire. Il conserve les traits d'un bourgeois enrichi. Il est donc aux antipodes de l'honnête homme du XVIIe siècle, modéré, fin et cultivé. Il apparaît de plus en plus ridicule mais toutefois assez sympathique dans son enthousiasme naïf mais sincère.

L'écriture

– Les discussions animées et les querelles donnent à la pièce sa dynamique, faite de crescendo et de decrescendo*.*
– Le comique prend ses sources dans le personnage de M. Jourdain et dans tous ceux qui contribuent à le rendre ridicule.*
– La satire s'accentue : sur le ton enlevé de la comédie, Molière dénonce les désirs illusoires d'une bourgeoisie enrichie et prétentieuse ainsi que le pédantisme de pédagogues peu scrupuleux.*
– Le spectateur est omniscient (il sait tout) ; le décalage entre cette situation privilégiée et l'ignorance de certains personnages est une source de comique.*
– La comédie-ballet se poursuit grâce à l'habillage en musique qui sert d'intermède entre l'acte II et l'acte III.

del
LE BOURGEOIS GENTILHOMME.
M. JOURDAIN.

ACTE III

SCÈNE PREMIÈRE. M. JOURDAIN, LAQUAIS

M. JOURDAIN. Suivez-moi, que j'aille un peu montrer mon habit par la ville ; et surtout ayez soin tous deux de marcher immédiatement sur mes pas, afin qu'on voie bien que vous êtes à moi.

5 LAQUAIS. Oui, monsieur.

M. JOURDAIN. Appelez-moi Nicole, que je lui donne quelques ordres. Ne bougez, la voilà.

SCÈNE 2. NICOLE, M. JOURDAIN, LAQUAIS

M. JOURDAIN. Nicole !

NICOLE. Plaît-il[1] ?

M. JOURDAIN. Écoutez.

NICOLE. Hi, hi, hi, hi, hi !

5 M. JOURDAIN. Qu'as-tu à rire ?

NICOLE. Hi, hi, hi, hi, hi, hi !

M. JOURDAIN. Que veut dire cette coquine-là ?

NICOLE. Hi, hi, hi. Comme vous voilà bâti[2] ! Hi, hi, hi !

M. JOURDAIN. Comment donc ?

10 NICOLE. Ah, ah ! mon Dieu ! Hi, hi, hi, hi, hi !

M. JOURDAIN. Quelle friponne est-ce là ! Te moques-tu de moi ?

NICOLE. Nenni[3], monsieur, j'en serais bien fâchée. Hi, hi, hi, hi, hi, hi !

---

1. *plaît-il* : que me demandez-vous ?
2. *bâti* : accoutré, déguisé.
3. *nenni* : non.

15 M. JOURDAIN. Je te baillerai[1] sur le nez, si tu ris davantage.

NICOLE. Monsieur, je ne puis pas m'en empêcher. Hi, hi, hi, hi, hi, hi !

M. JOURDAIN. Tu ne t'arrêteras pas ?

20 NICOLE. Monsieur, je vous demande pardon ; mais vous êtes si plaisant, que je ne saurais me tenir• de rire. Hi, hi, hi !

M. JOURDAIN. Mais voyez quelle insolence !

NICOLE. Vous êtes tout à fait drôle comme cela. Hi, hi !

25 M. JOURDAIN. Je te...

NICOLE. Je vous prie de m'excuser. Hi, hi, hi, hi !

M. JOURDAIN. Tiens, si tu ris encore le moins du monde, je te jure que je t'appliquerai sur la joue le plus grand soufflet qui se soit jamais donné.

30 NICOLE. Hé bien, monsieur, voilà qui est fait, je ne rirai plus.

M. JOURDAIN. Prends-y bien garde. Il faut que pour tantôt tu nettoies...

NICOLE. Hi, hi !

35 M. JOURDAIN. Que tu nettoies comme il faut...

NICOLE. Hi, hi !

M. JOURDAIN. Il faut, dis-je, que tu nettoies la salle, et...

NICOLE. Hi, hi !

M. JOURDAIN. Encore !

40 NICOLE. Tenez, monsieur, battez-moi plutôt et me laissez rire tout mon soûl, cela me fera plus de bien. Hi, hi, hi, hi, hi !

M. JOURDAIN. J'enrage.

NICOLE. De grâce, monsieur, je vous prie de me laisser
45 rire. Hi, hi, hi !

M. JOURDAIN. Si je te prends...

---

1. *baillerai* : donnerai des coups.

NICOLE. Monsieur, eur, je crèverai, ai, si je ne ris. Hi, hi, hi !

M. JOURDAIN. Mais a-t-on jamais vu une pendarde•
50 comme celle-là ? qui me vient rire insolemment au nez, au lieu de recevoir mes ordres ?

NICOLE. Que voulez-vous que je fasse, monsieur ?

M. JOURDAIN. Que tu songes, coquine, à préparer ma maison pour la compagnie[1] qui doit venir tantôt•.

55 NICOLE. Ah, par ma foi ! je n'ai plus envie de rire ; et toutes vos compagnies font tant de désordre céans•, que ce mot est assez pour me mettre en mauvaise humeur.

M. JOURDAIN. Ne dois-je point pour toi fermer ma porte à tout le monde ?

60 NICOLE. Vous devriez au moins la fermer à certaines gens.

1. *compagnie* : petit nombre d'amis rassemblés dans un lieu, réunion d'amis.

Questions

Compréhension

1. *Quelle est aux yeux de M. Jourdain l'utilité de ses laquais ?*

2. *Montrez que la scène 2 s'organise en deux mouvements* auxquels vous donnerez des titres.*

3. *Pourquoi Nicole est-elle prise d'un fou rire ? Pourquoi s'arrête-t-elle de rire ?*

4. *a) Quelles qualités M. Jourdain aimerait-il trouver chez sa servante ?*
b) Comment se comporte-t-elle en réalité ?
c) Relevez les propos qui montrent l'aplomb de Nicole.

5. *Nous avons constaté au cours des actes précédents que M. Jourdain était autoritaire. Mais a-t-il réellement de l'autorité ? Quelle différence faites-vous entre les deux expressions ?*

Écriture / Réécriture

6. *Relevez la phrase de la scène 1 qui montre que M. Jourdain considère davantage ses laquais comme des « choses » que comme des êtres humains.*

7. *a) Analysez le mode des verbes qu'emploie M. Jourdain dans cette même scène.*
b) Qu'en concluez-vous ?

8. *Par quel adjectif en -ible peut-on qualifier un rire contre lequel on ne peut lutter ?*

9. *Trouvez des expressions et des dictons contenant le mot « rire » (par exemple « rire aux larmes »).*

10. *Certains rires sont communicatifs : connaissez-vous des comédiens qui ont ainsi le don de déclencher l'hilarité chez les autres par leur seul rire ?*

11. *Vous avez déjà été en proie à un fou rire. Relatez-en les circonstances (le lieu, le moment, les personnes, la cause). Si ce fou rire a eu des conséquences, vous les exposerez également.*

Mise en scène

12. *a) Enregistrez des rires différents (à partir de passages de films, de disques ou de rires réels).*

b) Puis exercez-vous à rire sur commande et de différentes manières.
c) Jouez ensuite la scène 2 en prenant le rôle de Nicole, que vous soyez un garçon ou une fille.

Mme Bellecourt, dans le rôle de Nicole. Gravure de Chapuit, d'après Dutertre. Bibliothèque de la Comédie-Française.

SCÈNE 3. Mme Jourdain, M. Jourdain, Nicole, laquais

Mme Jourdain. Ah! ah! voici une nouvelle histoire. Qu'est-ce que c'est donc, mon mari, que cet équipage[1]-là ? Vous moquez-vous du monde, de vous être fait enharnacher[2] de la sorte ? et avez-vous envie qu'on se
5 raille[3] partout de vous ?

M. Jourdain. Il n'y a que des sots et des sottes, ma femme, qui se railleront de moi.

Mme Jourdain. Vraiment on n'a pas attendu jusqu'à cette heure, et il y a longtemps que vos façons de faire
10 donnent à rire à tout le monde.

M. Jourdain. Qui est donc tout ce monde-là, s'il vous plaît ?

Mme Jourdain. Tout ce monde-là est un monde qui a raison, et qui est plus sage que vous. Pour moi, je suis
15 scandalisée de la vie que vous menez. Je ne sais plus ce que c'est que notre maison : on dirait qu'il est céans• carême-prenant[4] tous les jours ; et dès le matin, de peur d'y manquer, on y entend des vacarmes de violons et de chanteurs, dont tout le voisinage se trouve incommodé.

20 Nicole. Madame parle bien. Je ne saurais plus voir mon ménage propre, avec cet attirail de gens que vous faites venir chez vous. Ils ont des pieds qui vont chercher de la boue dans tous les quartiers de la ville, pour l'apporter ici ; et la pauvre Françoise est presque sur les
25 dents, à frotter les planchers que vos biaux[5] maîtres viennent crotter régulièrement tous les jours.

M. Jourdain. Ouais[6], notre servante Nicole, vous avez le caquet• bien affilé[7] pour une paysanne.

---

1. *équipage* : habit.
2. *enharnacher* : habiller d'une manière ridicule.
3. *se railler* : se moquer.
4. *carême-prenant* : Mardi-Gras, c'est-à-dire le carnaval (quand le carême prend, commence, on se déguise).
5. *biaux* : patois pour « beaux », comme plus loin « carriaux » pour carreaux.
6. *ouais* : interjection marquant la surprise, mais sans nuance de vulgarité.
7. *caquet bien affilé* : la langue bien pendue ; le caquet désigne au sens propre le cri de la poule qui pond.

MME JOURDAIN. Nicole a raison et son sens est meilleur
30 que le vôtre. Je voudrais bien savoir ce que vous pensez faire d'un maître à danser à l'âge que vous avez.

NICOLE. Et d'un grand maître tireur d'armes, qui vient, avec ses battements de pied, ébranler toute la maison, et nous déraciner tous les carriaux de notre salle ?

35 M. JOURDAIN. Taisez-vous, ma servante, et ma femme.

MME JOURDAIN. Est-ce que vous voulez apprendre à danser pour quand vous n'aurez plus de jambes ?

NICOLE. Est-ce que vous avez envie de tuer quelqu'un ?

M. JOURDAIN. Taisez-vous, vous dis-je : vous êtes des
40 ignorantes l'une et l'autre, et vous ne savez pas les prérogatives[1] de tout cela.

MME JOURDAIN. Vous devriez plutôt songer à marier votre fille, qui est en âge d'être pourvue[2].

M. JOURDAIN. Je songerai à marier ma fille quand il se
45 présentera un parti pour elle, mais je veux songer aussi à apprendre les belles choses.

NICOLE. J'ai encore ouï dire, madame, qu'il a pris aujourd'hui, pour renfort de potage[3], un maître de philosophie.

50 M. JOURDAIN. Fort bien : je veux avoir de l'esprit, et savoir raisonner des choses parmi les honnêtes gens.

MME JOURDAIN. N'irez-vous point l'un de ces jours au collège vous faire donner le fouet à votre âge ?

M. JOURDAIN. Pourquoi non ? Plût à Dieu l'avoir tout à
55 l'heure•, le fouet, devant tout le monde, et savoir ce qu'on apprend au collège !

NICOLE. Oui, ma foi ! cela vous rendrait la jambe bien mieux faite[4].

M. JOURDAIN. Sans doute.

1. *prérogatives* : ici, avantages (M. Jourdain se trompe car ce mot signifie en réalité « privilèges »).
2. *pourvue* : mariée.
3. *renfort de potage* : pour couronner le tout.
4. *bien mieux faite* : expression populaire signifiant « cela vous ferait une belle jambe ».

60 MME JOURDAIN. Tout cela est fort nécessaire pour conduire votre maison.

M. JOURDAIN. Assurément. Vous parlez toutes deux comme des bêtes, et j'ai honte de votre ignorance. *(À Mme Jourdain.)* Par exemple savez-vous, vous, ce que 65 c'est que vous dites à cette heure ?

MME JOURDAIN. Oui, je sais que ce que je dis est fort bien dit, et que vous devriez songer à vivre d'autre sorte.

M. JOURDAIN. Je ne parle pas de cela. Je vous demande ce que c'est que les paroles que vous dites ici ?

70 MME JOURDAIN. Ce sont des paroles bien sensées, et votre conduite ne l'est guère.

M. JOURDAIN Je ne parle pas de cela, vous dis-je. Je vous demande : ce que je parle avec vous, ce que je vous dis à cette heure, qu'est-ce que c'est ?

75 MME JOURDAIN. Des chansons•.

M. JOURDAIN. Hé non ! ce n'est pas cela. Ce que nous disons tous deux, le langage que nous parlons à cette heure ?

MME JOURDAIN. Hé bien ?

80 M. JOURDAIN. Comment est-ce que cela s'appelle ?

MME JOURDAIN. Cela s'appelle comme on veut l'appeler.

M. JOURDAIN. C'est de la prose, ignorante.

MME JOURDAIN. De la prose ?

85 M. JOURDAIN. Oui, de la prose. Tout ce qui est prose n'est point vers ; et tout ce qui n'est point vers n'est point prose. Heu, voilà ce que c'est d'étudier *(À Nicole.)* Et toi, sais-tu bien comme il faut faire pour dire un U ?

NICOLE. Comment ?

90 M. JOURDAIN. Oui. Qu'est-ce que tu fais quand tu dis un U ?

NICOLE. Quoi ?

M. JOURDAIN. Dis un peu U, pour voir ?

NICOLE. Hé bien, U.

95 M. JOURDAIN. Qu'est-ce que tu fais ?

NICOLE. Je dis U.

M. JOURDAIN. Oui, mais quand tu dis U, qu'est-ce que tu fais ?

NICOLE. Je fais ce que vous me dites.

100 M. JOURDAIN. Ô l'étrange chose que d'avoir affaire à des bêtes ! Tu allonges les lèvres en dehors et approches la mâchoire d'en haut de celle d'en bas : U, vois-tu ? U. Je fais la moue : U.

NICOLE. Oui, cela est biau.

105 MME JOURDAIN. Voilà qui est admirable.

M. JOURDAIN. C'est bien autre chose, si vous aviez vu O, et DA, DA, et FA, FA.

MME JOURDAIN. Qu'est-ce que c'est donc que tout ce galimatias[1]-là ?

110 NICOLE. De quoi est-ce que tout cela guérit ?

M. JOURDAIN. J'enrage quand je vois des femmes ignorantes.

MME JOURDAIN. Allez, vous devriez envoyer promener tous ces gens-là, avec leurs fariboles[2].

115 NICOLE. Et surtout ce grand escogriffe[3] de Maître d'armes, qui remplit de poudre[4] tout mon ménage.

M. JOURDAIN. Ouais, ce Maître d'armes vous tient fort au cœur. Je te veux faire voir ton impertinence tout à l'heure•. *(Il fait apporter les fleurets et en donne*
120 *un à Nicole.)* Tiens. Raison démonstrative, la ligne du corps. Quand on pousse en quarte, on n'a qu'à faire cela, et quand on pousse en tierce, on n'a qu'à faire cela. Voilà le moyen de n'être jamais tué ; et cela n'est-il pas beau d'être assuré de son fait, quand on se
125 bat contre quelqu'un ? Là, pousse-moi un peu pour voir.

1. *galimatias* : discours très confus.
2. *fariboles* : histoires vaines et frivoles.
3. *escogriffe* : homme de grande taille et mal bâti.
4. *poudre* : poussière.

NICOLE. Hé bien, quoi? *(Nicole lui pousse plusieurs coups.)*

M. JOURDAIN. Tout beau, holà, oh! doucement. Diantre soit la coquine.

130 NICOLE. Vous me dites de pousser.

M. JOURDAIN. Oui; mais tu me pousses en tierce, avant que de pousser en quarte, et tu n'as pas la patience que je pare.

MME JOURDAIN. Vous êtes fou, mon mari, avec toutes 135 vos fantaisies, et cela vous est venu depuis que vous vous mêlez de hanter la noblesse.

M. JOURDAIN. Lorsque je hante la noblesse, je fais paraître mon jugement, et cela est plus beau que de hanter votre bourgeoisie.

140 MME JOURDAIN. Çamon[1] vraiment! il y a fort à gagner à fréquenter vos nobles, et vous avez bien opéré avec ce beau Monsieur le comte dont vous vous êtes embéguiné[2].

M. JOURDAIN. Paix! Songez à ce que vous dites. Savez-145 vous bien, ma femme, que vous ne savez pas de qui vous parlez, quand vous parlez de lui? C'est une personne d'importance plus que vous ne pensez, un seigneur que l'on considère à la cour, et qui parle au Roi tout comme je vous parle. N'est-ce pas une chose qui m'est tout à fait 150 honorable, que l'on voie venir chez moi si souvent une personne de cette qualité, qui m'appelle son cher ami, et me traite comme si j'étais son égal? Il a pour moi des bontés qu'on ne devinerait jamais; et, devant tout le monde, il me fait des caresses[3] dont je suis moi-même 155 confus.

MME JOURDAIN. Oui, il a des bontés pour vous, et vous fait des caresses, mais il vous emprunte votre argent.

M. JOURDAIN. Hé bien! ne m'est-ce pas de l'honneur

---

1. *çamon* : oui, certainement.
2. *embéguiné* : entiché, mis en tête (un béguin est à l'origine un petit bonnet) : pris au sens figuré, passion passagère.
3. *caresses* : démonstrations d'amitié, flatteries.

de prêter de l'argent à un homme de cette condition-là ?
160 et puis-je faire moins pour un seigneur qui m'appelle son cher ami ?

MME JOURDAIN. Et ce seigneur que fait-il pour vous ?

M. JOURDAIN. Des choses dont on serait étonné, si on les savait.

165 MME JOURDAIN. Et quoi ?

M. JOURDAIN. Baste[1], je ne puis pas m'expliquer. Il suffit que, si je lui ai prêté de l'argent, il me le rendra bien, et avant qu'il soit peu.

MME JOURDAIN. Oui, attendez-vous à cela.

170 M. JOURDAIN. Assurément : ne me l'a-t-il pas dit ?

MME JOURDAIN. Oui, oui : il ne manquera pas d'y faillir[2].

M. JOURDAIN. Il m'a juré sa foi de gentilhomme.

MME JOURDAIN. Chansons•.

175 M. JOURDAIN. Ouais, vous êtes bien obstinée, ma femme. Je vous dis qu'il tiendra parole, j'en suis sûr.

MME JOURDAIN. Et moi, je suis sûre que non, et que toutes les caresses qu'il vous fait ne sont que pour vous enjôler[3].

180 M. JOURDAIN. Taisez-vous : le voici.

MME JOURDAIN. Il ne nous faut plus que cela. Il vient peut-être encore vous faire quelque emprunt ; et il me semble que j'ai dîné[4] quand je le vois.

M. JOURDAIN. Taisez-vous, vous dis-je.

---

1. *baste* : cela suffit.
2. *faillir* : manquer, se dérober.
3. *enjôler* : abuser par de belles paroles.
4. *il me... dîné* : ça me coupe l'appétit.

Questions

Compréhension

1. *Madame Jourdain.*
a) Tout au long de la scène, elle expose les raisons de son mécontentement ; relevez-les.
b) Quelle est sa préoccupation majeure ?
c) Ressemble-t-elle à son mari ? Pour répondre à cette question, faites un tableau opposant les deux personnages, tableau que vous serez amenés à compléter tout au long de l'acte.

2. *Quel est le rôle de Nicole dans cette scène ?*

3. *Monsieur Jourdain : il apparaît enfin, depuis le début de l'acte III, dans son milieu familial.*
a) Son image est-elle différente de celle que nous avions aux deux premiers actes ? Montrez-en les similitudes et les différences.
b) En tant que pédagogue, réussit-il à se faire comprendre de son auditoire ? à l'impressionner ? à le convaincre ? Justifiez vos réponses.

4. *Le « seigneur ».*
a) Quels jugements M. et Mme Jourdain portent-ils respectivement sur cet homme ?
b) Quels sentiments éprouvent-ils pour lui ?
c) Et vous, quel parti prendriez-vous ? Pourquoi ?

Écriture

5. *Soyez attentifs au langage de Mme Jourdain.*
a) Que nous révèle la ponctuation de ses répliques ?*
b) Ses répliques ne sont pas toutes dites sur le même ton. Relevez-en quelques-unes et caractérisez le ton sur lequel elle parle.*

6. *Notez les expressions typiques du langage de Nicole. À quel registre* ce langage appartient-il ?*

7. *Relevez les phrases qui vous font rire.*

Mise en scène

8. *Nous avons constaté que pour faire dire quelque chose à quelqu'un, on peut employer des mots, mais on peut également se limiter à des gestes. Comment cet art s'appelle-t-il ?*

9. *a) Connaissez-vous des artistes célèbres qui donnent ainsi des spectacles complètement muets ?*
b) En connaissez-vous qui vous font rire d'abord par leurs gestes, la mobilité de leur visage, ou des grimaces, avant même de parler ?

10. *Amusez-vous à faire découvrir à des amis un métier ou un titre de film sans utiliser la parole (cela s'appelle le jeu des ambassadeurs).*

11. *On peut également dessiner pour faire découvrir un mot ou une idée. Connaissez-vous le jeu désormais célèbre dont c'est la règle ? Faites le dessin qui permettrait de deviner le mot « prose ». Ce n'est pas si facile...*

La leçon d'armes de M. Jourdain à Nicole, en présence de Mme Jourdain (III, 3). Gravure de Jéhotte d'après un tableau de Vernet. Bibliothèque de l'Arsenal.

SCÈNE 4. DORANTE, M. JOURDAIN, MME JOURDAIN, NICOLE

DORANTE. Mon cher ami, monsieur Jourdain, comment vous portez-vous ?

M. JOURDAIN. Fort bien, monsieur, pour vous rendre mes petits services.

5 DORANTE. Et madame Jourdain que voilà, comment se porte-t-elle ?

MME JOURDAIN. Madame Jourdain se porte comme elle peut.

DORANTE. Comment, monsieur Jourdain ? vous voilà le
10 plus propre[1] du monde !

M. JOURDAIN. Vous voyez.

DORANTE. Vous avez tout à fait bon air avec cet habit, et nous n'avons point de jeunes gens à la cour qui soient mieux faits que vous.

15 M. JOURDAIN. Hay, hay.

MME JOURDAIN, *à part.* Il le gratte par où il se démange[2].

DORANTE. Tournez-vous. Cela est tout à fait galant.

MME JOURDAIN, *à part.* Oui, aussi sot par-derrière que
20 par-devant.

DORANTE. Ma foi ! monsieur Jourdain, j'avais une impatience étrange[3] de vous voir. Vous êtes l'homme du monde que j'estime le plus, et je parlais de vous encore ce matin dans la chambre du Roi.

25 M. JOURDAIN. Vous me faites beaucoup d'honneur, monsieur. *(À Mme Jourdain.)* Dans la chambre du Roi !

DORANTE. Allons, mettez[4]...

---

1. *propre* : élégant.
2. *il le... démange* : il lui fait quelque chose à quoi il est extrêmement sensible (c'est un proverbe).
3. *étrange* : très forte.
4. *mettez* : mettez votre chapeau.

M. JOURDAIN. Monsieur, je sais le respect que je vous dois.

30 DORANTE. Mon Dieu! mettez : point de cérémonie entre nous, je vous prie.

M. JOURDAIN. Monsieur...

DORANTE. Mettez, vous dis-je, monsieur Jourdain : vous êtes mon ami.

35 M. JOURDAIN. Monsieur, je suis votre serviteur.

DORANTE. Je ne me couvrirai point, si vous ne vous couvrez.

M. JOURDAIN, *se couvrant.* J'aime mieux être incivil[1] qu'importun.

40 DORANTE. Je suis votre débiteur[2], comme vous le savez.

MME JOURDAIN, *à part.* Oui, nous ne le savons que trop.

DORANTE. Vous m'avez généreusement prêté de
45 l'argent en plusieurs occasions, et vous m'avez obligé de la meilleure grâce du monde, assurément.

M. JOURDAIN. Monsieur, vous vous moquez.

DORANTE. Mais je sais rendre ce qu'on me prête, et reconnaître les plaisirs qu'on me fait.

50 M. JOURDAIN. Je n'en doute point, monsieur.

DORANTE. Je veux sortir d'affaire avec vous, et je viens ici pour faire nos comptes ensemble.

M. JOURDAIN, *bas à Mme Jourdain.* Hé bien ! vous voyez votre impertinence, ma femme.

55 DORANTE. Je suis homme qui aime à m'acquitter[3] le plus tôt que je puis.

M. JOURDAIN, *bas, à Mme Jourdain.* Je vous le disais bien.

DORANTE. Voyons un peu ce que je vous dois.

---

1. *incivil* : impoli.
2. *débiteur* : celui qui doit de l'argent.
3. *m'acquitter* : payer.

60 M. JOURDAIN, *bas, à Mme Jourdain.* Vous voilà, avec vos soupçons ridicules.

DORANTE. Vous souvenez-vous bien de tout l'argent que vous m'avez prêté ?

M. JOURDAIN. Je crois que oui. J'en ai fait un petit
65 mémoire. Le voici. Donné à vous une fois deux cents louis[1].

DORANTE. Cela est vrai.

M. JOURDAIN. Une autre fois six-vingts[2].

DORANTE. Oui.

70 M. JOURDAIN. Et une autre fois cent quarante.

DORANTE. Vous avez raison.

M. JOURDAIN. Ces trois articles font quatre cent soixante louis, qui valent cinq mille soixante livres.

DORANTE. Le compte est fort bon. Cinq mille soixante
75 livres.

M. JOURDAIN. Mille huit cent trente-deux livres à votre plumassier[3].

DORANTE. Justement.

M. JOURDAIN. Deux mille sept cent quatre-vingts livres
80 à votre tailleur.

DORANTE. Il est vrai.

M. JOURDAIN. Quatre mille trois cent septante neuf livres douze sols huit deniers[4] à votre marchand[5].

DORANTE. Fort bien. Douze sols huit deniers : le
85 compte est juste.

M. JOURDAIN. Et mille sept cent quarante-huit livres sept sols quatre deniers à votre sellier[6].

---

1. *louis* : monnaie d'or ainsi appelée depuis Louis XIII, et qui valait onze livres (une livre = un franc = vingt sols).
2. *six-vingts* : cent vingt (six fois vingt).
3. *plumassier* : marchand de plumes pour orner les chapeaux.
4. *denier* : petite monnaie de bronze équivalant à la douzième partie d'un sou.
5. *marchand* : sans doute le marchand de drap
6. *sellier* : artisan qui fabrique des objets en cuir, par exemple les selles.

DORANTE. Tout cela est véritable. Qu'est-ce que cela fait ?

90 M. JOURDAIN. Somme totale, quinze mille huit cents livres.

DORANTE. Somme totale est juste : quinze mille huit cents livres. Mettez encore deux cents pistoles[1] que vous m'allez donner, cela fera justement dix-huit mille francs,
95 que je vous paierai au premier jour.

MME JOURDAIN, *bas, à M. Jourdain.* Eh bien ! ne l'avais-je pas bien deviné ?

M. JOURDAIN, *bas, à Mme Jourdain.* Paix !

DORANTE. Cela vous incommodera-t-il de me donner
100 ce que je vous dis ?

M. JOURDAIN. Eh non !

MME JOURDAIN, *bas, à M. Jourdain.* Cet homme-là fait de vous une vache à lait.

M. JOURDAIN, *bas, à Mme Jourdain.* Taisez-vous.

105 DORANTE. Si cela vous incommode, j'en irai chercher ailleurs.

M. JOURDAIN. Non, monsieur.

MME JOURDAIN, *bas, à M. Jourdain.* Il ne sera pas content, qu'il ne vous ait ruiné.

110 M. JOURDAIN, *bas, à Mme Jourdain.* Taisez-vous, vous dis-je.

DORANTE. Vous n'avez qu'à me dire si cela vous embarrasse.

M. JOURDAIN. Point, monsieur.

115 MME JOURDAIN, *bas, à M. Jourdain.* C'est un vrai enjôleux[2].

M. JOURDAIN, *bas, à Mme Jourdain.* Taisez-vous donc.

MME JOURDAIN, *bas, à M. Jourdain.* Il vous sucera jusqu'au dernier sou.

---

1. *pistoles* : pièces d'or qui valaient onze livres comme les louis, mais qui étaient une monnaie d'Espagne.
2. *enjôleux* : enjôleur, qui trompe.

120 M. JOURDAIN, *bas, à Mme Jourdain.* Vous tairez-vous ?

DORANTE. J'ai force gens[1] qui m'en prêteraient avec joie ; mais comme vous êtes mon meilleur ami, j'ai cru que je vous ferais tort si j'en demandais à quelque autre.

M. JOURDAIN. C'est trop d'honneur, monsieur, que
125 vous me faites. Je vais quérir• votre affaire.

MME JOURDAIN, *bas, à M. Jourdain.* Quoi ? vous allez encore lui donner cela ?

M. JOURDAIN, *bas, à Mme Jourdain.* Que faire ? Voulez-vous que je refuse un homme de cette condition-là, qui a
130 parlé de moi ce matin dans la chambre du Roi ?

MME JOURDAIN, *bas, à M. Jourdain.* Allez, vous êtes une vraie dupe[2].

SCÈNE 5. DORANTE, MME JOURDAIN, NICOLE

DORANTE. Vous me semblez toute mélancolique : qu'avez-vous, madame Jourdain ?

MME JOURDAIN. J'ai la tête plus grosse que le poing et si[3] elle n'est pas enflée.

5 DORANTE. Mademoiselle votre fille, où est-elle, que je ne la vois point ?

MME JOURDAIN. Mademoiselle ma fille est bien où elle est.

DORANTE. Comment se porte-t-elle ?

10 MME JOURDAIN. Elle se porte sur ses deux jambes.

DORANTE. Ne voulez-vous point, un de ces jours, venir voir, avec elle, le ballet et la comédie que l'on fait[4] chez le Roi ?

---

1. *force gens :* de nombreuses personnes.
2. *dupe :* personne que l'on trompe très facilement.
3. *et si :* et pourtant.
4. *fait :* joue, donne.

MME JOURDAIN. Oui, vraiment, nous avons fort envie
15 de rire, fort envie de rire nous avons.

DORANTE. Je pense, madame Jourdain, que vous avez eu bien des amants[1] dans votre jeune âge, belle et d'agréable humeur comme vous étiez.

MME JOURDAIN. Tredame[2], monsieur, est-ce que
20 madame Jourdain est décrépite[3], et la tête lui grouille[4]-t-elle déjà ?

DORANTE. Ah ! ma foi ! madame Jourdain, je vous demande pardon. Je ne songeais pas que vous êtes jeune, et je rêve[5] le plus souvent. Je vous prie d'excuser
25 mon impertinence.

Acte III, scène IV : la rencontre entre Dorante et M. Jourdain (Louis Seigner). Comédie-Française.

1. *amants* : soupirants.
2. *Tredame* : par Notre-Dame (interjection populaire).
3. *décrépite* : usée, vieille.
4. *grouille* : tremble.
5. *je rêve* : je suis distrait.

Questions

Compréhension

1. *Dorante.*
a) Dorante entre en scène mais nous avions entendu parler de lui auparavant. Molière a déjà utilisé ce procédé dans le Bourgeois gentilhomme. *À quelle scène ? Pour quel personnage ?*
b) Quel est le véritable motif de la visite de Dorante ?
c) Quelles méthodes utilise-t-il successivement pour arriver à ses fins ? Montrez qu'il est habile.
d) Correspond-il à l'image que nous avaient donnée de lui M. et Mme Jourdain ? Justifiez votre réponse.

2. *En quoi M. Jourdain, malgré son désir d'être gentilhomme, a-t-il des attitudes de marchand enrichi ?*

3. *Lorsque M. Jourdain quitte la scène en laissant Dorante et Mme Jourdain face à face, que peut-on craindre ?*

4. *Comment les tentatives de Dorante pour s'attirer la sympathie de Mme Jourdain sont-elles reçues ? Pourquoi ?*

5. *Quelle « gaffe » Dorante commet-il (sc. 5) ? Quelle excuse donne-t-il ?*

Écriture / Réécriture

6. *Dans la scène 4, relevez dans le langage de Mme Jourdain tous les termes par lesquels elle apostrophe ou qualifie son mari et Dorante. Que constatez-vous ?*

7. *Vous avez déjà été l'auteur, la victime ou simplement le témoin d'une « gaffe ». Racontez en quoi elle consistait et comment le « gaffeur » s'en est sorti.*

8. *Les œuvres comiques* (théâtre, cinéma, B.D.) abondent en célèbres « gaffeurs ». Retrouvez-en un dans chacune des catégories citées ci-dessus et, en un paragraphe, exposez son caractère et l'étendue de ses maladresses.*

Mise en scène

9. *a) Montrez que le procédé de l'aparté* dans la scène 4 rend le spectateur complice et témoin privilégié.*
b) En quoi est-ce ici un procédé comique ?*
c) Quel est le nom du personnage célèbre des spectacles enfantins qui utilise fréquemment l'aparté pour conquérir son public ?*

SCÈNE 6. M. JOURDAIN, MME JOURDAIN, DORANTE, NICOLE

M. JOURDAIN. Voilà deux cents louis bien comptés.

DORANTE. Je vous assure, monsieur Jourdain, que je suis tout à vous, et que je brûle de vous rendre un service à la cour.

5 M. JOURDAIN. Je vous suis trop obligé.

DORANTE. Si madame Jourdain veut voir le divertissement[1] royal, je lui ferai donner les meilleures places de la salle.

MME JOURDAIN. Madame Jourdain vous baise les
10 mains[2].

DORANTE, *bas, à M. Jourdain.* Notre belle marquise, comme je vous ai mandé[3] par mon billet, viendra tantôt• ici pour le ballet et le repas, et je l'ai fait consentir enfin au cadeau• que vous lui voulez donner.

15 M. JOURDAIN. Tirons-nous[4] un peu plus loin, pour cause.

DORANTE. Il y a huit jours que je ne vous ai vu, et je ne vous ai point mandé de nouvelles du diamant que vous me mîtes entre les mains pour lui en faire présent de
20 votre part ; mais c'est que j'ai eu toutes les peines du monde à vaincre son scrupule, et ce n'est que d'aujourd'hui qu'elle s'est résolue à l'accepter.

M. JOURDAIN. Comment l'a-t-elle trouvé ?

DORANTE. Merveilleux ; et je me trompe fort, ou la
25 beauté de ce diamant fera pour vous sur son esprit un effet admirable.

M. JOURDAIN. Plût au Ciel !

MME JOURDAIN, *à Nicole.* Quand il est une fois avec lui, il ne peut le quitter.

---

1. *divertissement* : pièce de théâtre avec danses et chants.
2. *baise les mains* : formule de politesse utilisée pour saluer, remercier, ou comme ici, pour refuser avec ironie.
3. *mandé* : fait savoir.
4. *tirons-nous* : retirons-nous.

30 DORANTE. Je lui ai fait valoir comme il faut la richesse de ce présent et la grandeur de votre amour.

M. JOURDAIN. Ce sont, monsieur, des bontés qui m'accablent ; et je suis dans une confusion la plus grande du monde, de voir une personne de votre qualité
35 s'abaisser pour moi à ce que vous faites.

DORANTE. Vous moquez-vous ? est-ce qu'entre amis on s'arrête à ces sortes de scrupules ? et ne feriez-vous pas pour moi la même chose, si l'occasion s'en offrait ?

M. JOURDAIN. Ho ! assurément, et de très grand cœur.

40 MME JOURDAIN, *à Nicole.* Que sa présence me pèse sur les épaules !

DORANTE. Pour moi, je ne regarde rien quand il faut servir un ami ; et lorsque vous me fîtes confidence de l'ardeur que vous aviez prise pour cette marquise
45 agréable chez qui j'avais commerce•, vous vîtes que d'abord je m'offris de moi-même à servir votre amour.

M. JOURDAIN. Il est vrai, ce sont des bontés qui me confondent.

MME JOURDAIN, *à Nicole.* Est-ce qu'il ne s'en ira point ?

50 NICOLE. Ils se trouvent bien ensemble.

DORANTE. Vous avez pris le bon biais[1] pour toucher son cœur : les femmes aiment surtout les dépenses qu'on fait pour elles ; et vos fréquentes sérénades, et vos bouquets continuels, ce superbe feu d'artifice qu'elle
55 trouva sur l'eau, le diamant qu'elle a reçu de votre part, et le cadeau que vous lui préparez, tout cela lui parle bien mieux en faveur de votre amour que toutes les paroles que vous auriez pu lui dire vous-même.

M. JOURDAIN. Il n'y a point de dépenses que je ne fisse,
60 si par là je pouvais trouver le chemin de son cœur. Une femme de qualité a pour moi des charmes ravissants, et c'est un honneur que j'achèterais au prix de toute chose.

MME JOURDAIN, *à Nicole.* Que peuvent-ils tant dire

1. *biais* : moyen.

ensemble ? Va-t'en un peu tout doucement prêter
65 l'oreille.

DORANTE. Ce sera tantôt• que vous jouirez à votre aise du plaisir de sa vue, et vos yeux auront tout le temps de se satisfaire.

M. JOURDAIN. Pour être en pleine liberté, j'ai fait en
70 sorte que ma femme ira dîner chez ma sœur, où elle passera toute l'après-dînée.

DORANTE. Vous avez fait prudemment, et votre femme aurait pu nous embarrasser. J'ai donné pour vous l'ordre qu'il faut au cuisinier, et à toutes les choses qui sont
75 nécessaires pour le ballet. Il est de mon invention ; et pourvu que l'exécution puisse répondre à l'idée, je suis sûr qu'il sera trouvé...

M. JOURDAIN *s'aperçoit que Nicole écoute, et lui donne un soufflet.* Ouais, vous êtes bien impertinente. Sortons, s'il vous plaît.

Préville dans le rôle de M. Jourdain – Lithographie de Mezière (1792). Bibliothèque de la Comédie-Française.

Questions

Compréhension

1. *a) Que Dorante et M. Jourdain manigancent-ils ?*
b) Comment appelle-t-on une personne qui sert d'intermédiaire dans des intrigues amoureuses ?

2. *Pourquoi à votre avis M. Jourdain veut-il se faite aimer de Dorimène ?*

3. *Qu'est-ce qui semble le plus important aux yeux de M. Jourdain d'après l'ensemble de ce que vous connaissez de la pièce, l'être ou l'apparence ?*

4. *Pourquoi Mme Jourdain et Nicole restent-elles en scène ?*

Écriture / Réécriture

5. *a) Quel est, selon Dorante, le moyen le plus sûr pour conquérir une femme ? Appuyez-vous sur le texte pour répondre.*
b) Partagez-vous son opinion ?

6. *Recherchez ce qu'est la « préciosité » et relevez dans le langage de Dorante les tournures et expressions « précieuses ».*

7. *a) Recherchez ce qu'était au* XVIIe *siècle la carte du Tendre.*
b) Les idées que Dorante expose sont-elles conformes à cet idéal amoureux ?

8. *Recherchez dans des œuvres artistiques que vous connaissez les passages exposant ou relatant les moyens qu'utilise un homme pour conquérir le cœur d'une femme.*

Mise en scène

9. *Proposez une mise en scène (déplacement des personnages, gestes, éclairages), pour donner à cette scène toute sa puissance comique.*

10. *Le soufflet : ce geste est souvent une source de comique.*
a) Connaissez-vous d'autres comédies où il est utilisé pour faire rire ?
b) Connaissez-vous d'autres œuvres où il a au contraire des conséquences tragiques ?

11. *Dossier : M. Jourdain à la fin du XXe siècle.*
Quels sont les cadeaux qu'il offrirait à la marquise pour la séduire ? (Pensez à des objets, mais aussi à des voyages, des invitations, des « premières » de spectacle, des soirées dans des lieux à la mode...)

Raimu dans le rôle de M. Jourdain.

SCÈNE 7. MME JOURDAIN, NICOLE

NICOLE. Ma foi! madame, la curiosité m'a coûté quelque chose; mais je crois qu'il y a quelque anguille sous roche, et ils parlent de quelque affaire où ils ne veulent pas que vous soyez.

5 MME JOURDAIN. Ce n'est pas d'aujourd'hui, Nicole, que j'ai conçu des soupçons de mon mari. Je suis la plus trompée du monde, ou il y a quelque amour en campagne[1], et je travaille à découvrir ce que ce peut être. Mais songeons à ma fille. Tu sais l'amour que Cléonte a

10 pour elle. C'est un homme qui me revient[2], et je veux aider sa recherche[3], et lui donner Lucile, si je puis.

NICOLE. En vérité, madame, je suis la plus ravie du monde de vous voir dans ces sentiments; car, si le maître vous revient, le valet ne me revient pas moins, et

15 je souhaiterais que notre mariage se pût faire à l'ombre du leur.

MME JOURDAIN. Va-t'en lui parler de ma part, et lui dire que tout à l'heure il me vienne trouver, pour faire ensemble à mon mari la demande de ma fille.

20 NICOLE. J'y cours, madame, avec joie, et je ne pouvais recevoir une commission plus agréable. Je vais, je pense, bien réjouir les gens.

SCÈNE 8. CLÉONTE, COVIELLE, NICOLE

NICOLE. Ah! vous voilà tout à propos. Je suis une ambassadrice de joie, et je viens...

CLÉONTE. Retire-toi, perfide, et ne me viens point amuser avec tes traîtresses paroles.

5 NICOLE. Est-ce ainsi que vous recevez?...

CLÉONTE. Retire-toi, te dis-je, et va-t'en dire de ce pas

---

1. *en campagne* : en train, en route.
2. *me revient* : me plaît.
3. *recherche* : cour faite à une femme.

à ton infidèle maîtresse qu'elle n'abusera de sa vie le trop simple Cléonte.

NICOLE. Quel vertigo[1] est-ce donc là ? Mon pauvre
10 Covielle, dis-moi un peu ce que cela veut dire.

COVIELLE. Ton pauvre Covielle, petite scélérate ! Allons vite, ôte-toi de mes yeux, vilaine, et me laisse en repos.

NICOLE. Quoi ? tu me viens aussi...

15 COVIELLE. Ôte-toi de mes yeux, te dis-je, et ne me parle de ta vie.

NICOLE. Ouais ! Quelle mouche les a piqués tous deux ? Allons de cette belle histoire informer ma maîtresse.

1. *vertigo* : caprice, folie.

Questions

Compréhension

1. *Que nous révèle la scène 7 sur le rôle respectif du père et de la mère dans le mariage de leur fille au* XVIIe *siècle ?*

2. *À la scène 7, les deux femmes évoquent trois personnages qui n'ont pas encore paru. De qui s'agit-il ?*

3. *Deux d'entre eux sont présents à la scène 8.*
a) Correspondent-ils à l'image que nous nous en étions faite ?
b) Connaissons-nous les motifs de leur colère ?

4. *a) Qu'était venue annoncer Nicole ?*
b) Comment est-elle reçue ?
c) Que ressent-elle à la fin de la scène ?
d) Et le spectateur ?

Écriture / Réécriture

5. *Comment la colère de Cléonte et Covielle se manifeste-t-elle ? Pour répondre, étudiez le champ lexical* de leurs répliques* ainsi que le mode des verbes qu'ils emploient.*

6. *Il vous est déjà arrivé de venir annoncer une bonne nouvelle et d'être mal reçu. Reconstituez le dialogue né de ce décalage entre l'effet que vous comptiez obtenir et le résultat atteint.*

Mise en scène

7. *Exercez-vous à lire ou jouer la scène en tenant compte des points de suspension pour le rythme des répliques*. N'oubliez pas qu'au théâtre les points de suspension en fin de réplique* signifient en général que le personnage suivant coupe la parole à celui qui est en train de s'exprimer.*

SCÈNE 9. CLÉONTE, COVIELLE

CLÉONTE. Quoi ? traiter un amant[1] de la sorte, et un amant le plus fidèle et le plus passionné de tous les amants ?

COVIELLE. C'est une chose épouvantable, que ce qu'on
5 nous fait à tous deux.

CLÉONTE. Je fais voir pour une personne toute l'ardeur et toute la tendresse qu'on peut imaginer ; je n'aime rien au monde qu'elle, et je n'ai qu'elle dans l'esprit ; elle fait tous mes soins, tous mes désirs, toute ma joie ; je ne
10 parle que d'elle, je ne pense qu'à elle, je ne fais des songes que d'elle, je ne respire que par elle, mon cœur vit tout en elle : et voilà de tant d'amitié la digne récompense ! Je suis deux jours sans la voir, qui sont pour moi des siècles effroyables : je la rencontre par
15 hasard ; mon cœur, à cette vue, se sent tout transporté, ma joie éclate sur mon visage, je vole avec ravissement vers elle ; et l'infidèle détourne de moi ses regards, et passe brusquement, comme si de sa vie elle ne m'avait vu !

20 COVIELLE. Je dis les mêmes choses que vous.

CLÉONTE. Peut-on voir rien d'égal, Covielle, à cette perfidie de l'ingrate Lucile ?

COVIELLE. Et à celle, monsieur, de la pendarde• de Nicole ?

25 CLÉONTE. Après tant de sacrifices ardents, de soupirs, et de vœux que j'ai faits à ses charmes !

COVIELLE. Après tant d'assidus hommages, de soins et de services que je lui ai rendus dans sa cuisine !

CLÉONTE. Tant de larmes que j'ai versées à ses
30 genoux !

COVIELLE. Tant de seaux d'eau que j'ai tirés au puits pour elle !

---

1. *amant* : qui aime d'amour une femme dont il est aimé ou tâche de se faire aimer.

CLÉONTE. Tant d'ardeur que j'ai fait paraître à la chérir plus que moi-même !

35 COVIELLE. Tant de chaleur que j'ai soufferte à tourner la broche à sa place !

CLÉONTE. Elle me fuit avec mépris !

COVIELLE. Elle me tourne le dos avec effronterie !

CLÉONTE. C'est une perfidie digne des plus grands
40 châtiments.

COVIELLE. C'est une trahison à mériter mille soufflets.

CLÉONTE. Ne t'avise point, je te prie, de me parler jamais pour elle.

COVIELLE. Moi, monsieur ! Dieu m'en garde !

45 CLÉONTE. Ne viens point m'excuser l'action de cette infidèle.

COVIELLE. N'ayez pas peur.

CLÉONTE. Non, vois-tu, tous tes discours pour la défendre ne serviront de rien.

50 COVIELLE. Qui songe à cela ?

CLÉONTE. Je veux contre elle conserver mon ressentiment, et rompre ensemble tout commerce•.

COVIELLE. J'y consens.

CLÉONTE. Ce monsieur le Comte qui va chez elle lui
55 donne peut-être dans la vue ; et son esprit, je le vois bien, se laisse éblouir à la qualité. Mais il me faut, pour mon honneur, prévenir l'éclat[1] de son inconstance. Je veux faire autant de pas qu'elle au changement où je la vois courir, et ne lui laisser pas toute la gloire de me
60 quitter.

COVIELLE. C'est fort bien dit, et j'entre pour mon compte dans tous vos sentiments.

CLÉONTE. Donne la main à[2] mon dépit, et soutiens ma résolution contre tous les restes d'amour qui me pour-
65 raient parler pour elle. Dis-m'en, je t'en conjure, tout le

1. *prévenir l'éclat* : empêcher à l'avance le scandale.
2. *donne la main à* : aide, porte secours.

mal que tu pourras ; fais-moi de sa personne une peinture qui me la rende méprisable ; et marque-moi bien, pour m'en dégoûter, tous les défauts que tu peux voir en elle.

70 COVIELLE. Elle, monsieur ! voilà une belle mijaurée[1], une pimpesouée[2] bien bâtie, pour vous donner tant d'amour ! Je ne lui vois rien que de très médiocre, et vous trouverez cent personnes qui seront plus dignes de vous. Premièrement, elle a les yeux petits.

75 CLÉONTE. Cela est vrai, elle a les yeux petits ; mais elle les a pleins de feux, les plus brillants, les plus perçants du monde, les plus touchants qu'on puisse voir.

COVIELLE. Elle a la bouche grande.

CLÉONTE. Oui ; mais on y voit des grâces qu'on ne voit 80 point aux autres bouches ; et cette bouche, en la voyant, inspire des désirs, est la plus attrayante, la plus amoureuse du monde.

COVIELLE. Pour sa taille, elle n'est pas grande.

CLÉONTE. Non ; mais elle est aisée et bien prise.

85 COVIELLE. Elle affecte une nonchalance dans son parler, et dans ses actions.

CLÉONTE. Il est vrai ; mais elle a grâce à tout cela, et ses manières sont engageantes, ont je ne sais quel charme à s'insinuer dans les cœurs.

90 COVIELLE. Pour de l'esprit...

CLÉONTE. Ah ! elle en a, Covielle, du plus fin, du plus délicat.

COVIELLE. Sa conversation...

CLÉONTE. Sa conversation est charmante.

95 COVIELLE. Elle est toujours sérieuse.

CLÉONTE. Veux-tu de ces enjouements[3] épanouis, de ces joies toujours ouvertes ? et vois-tu rien de plus impertinent que des femmes qui rient à tout propos ?

1. *mijaurée* : femme aux manières affectées, prétentieuses et ridicules.
2. *pimpesouée* : femme très coquette, qui fait la précieuse.
3. *enjouements* : gaietés.

COVIELLE. Mais enfin elle est capricieuse autant que
100 personne du monde[1].

CLÉONTE. Oui, elle est capricieuse, j'en demeure d'accord ; mais tout sied bien aux belles, on souffre tout des belles.

COVIELLE. Puisque cela va comme cela, je vois bien
105 que vous avez envie de l'aimer toujours.

CLÉONTE. Moi, j'aimerais mieux mourir ; et je vais la haïr autant que je l'ai aimée.

COVIELLE. Le moyen, si vous la trouvez si parfaite ?

CLÉONTE. C'est en quoi ma vengeance sera plus écla-
110 tante, en quoi je veux faire mieux voir la force de mon cœur : à la haïr, à la quitter, toute belle, toute pleine d'attraits, toute aimable que je la trouve. La voici.

1. *du monde* : au monde.

Questions

Compréhension

1. *Quels sont les motifs de la colère des deux hommes ?*

2. *Montrez l'évolution de Cléonte au cours de la scène.*

3. *Quels sont les rôles successifs de Covielle ?*

Écriture / Réécriture

4. *La tirade de Cléonte (l. 6 à l. 19).*
a) Analysez avec précision le style des propos de Cléonte et en particulier : le champ lexical, les pronoms personnels, les adverbes, les adjectifs, les tournures de phrase, le temps des verbes.*
b) Que ressent-il ?
c) Que veut-il prouver ?

5. *Les plaintes en écho (l. 21 à l. 41).*
En observant en particulier la tournure des phrases et le registre de langue, montrez que les plaintes des deux hommes sont à la fois similaires et différentes.*

6. *Le réquisitoire de Covielle (l. 63 à l. 112).*
a) Qu'est-ce qu'un réquisitoire ?
b) Quels défauts de Lucile, Covielle met-il successivement en évidence ? De quel ordre sont-ils ?
c) Covielle a-t-il été convaincant ? Cléonte voulait-il être convaincu ?

7. *« Je suis deux jours sans la voir, qui sont pour moi des siècles effroyables », dit Cléonte aux lignes 13 et 14. Selon les circonstances, le temps qui passe n'est pas toujours ressenti de façon identique. Vous avez sûrement vécu des moments où le temps passait très vite et d'autres où il semblait s'éterniser. Vous classerez ces moments en deux parties dans un tableau, en inscrivant à chaque fois la cause de cette impression.*

Mise en scène

8. *Cette scène, expression du dépit amoureux, n'est pas comique. Pourtant beaucoup d'éléments peuvent la rendre drôle. C'est surtout la mise en scène qui va lui donner un ton presque tragique ou*

très comique. Une partie de la classe choisira de la jouer sur un ton proche du tragique, l'autre de façon comique*.*
Pour parvenir à l'un ou l'autre résultat, annotez la scène en rajoutant des didascalies concernant la lumière, le ton, les gestes, les mimiques, les déplacements des personnages.*

Léon Bernard dans le rôle de M. Jourdain.

SCÈNE 10. CLÉONTE, LUCILE, COVIELLE, NICOLE

NICOLE, *à Lucile.* Pour moi, j'en ai été toute scandalisée.

LUCILE. Ce ne peut être, Nicole, que ce que je te dis. Mais le voilà.

5 CLÉONTE, *à Covielle.* Je ne veux pas seulement lui parler.

COVIELLE. Je veux vous imiter.

LUCILE. Qu'est-ce donc, Cléonte ? qu'avez-vous ?

NICOLE. Qu'as-tu donc, Covielle ?

10 LUCILE. Quel chagrin vous possède ?

NICOLE. Quelle mauvaise humeur te tient ?

LUCILE. Êtes-vous muet, Cléonte ?

NICOLE. As-tu perdu la parole, Covielle ?

CLÉONTE. Que voilà qui est scélérat[1] !

15 COVIELLE. Que cela est Judas[2] !

LUCILE. Je vois bien que la rencontre de tantôt• a troublé votre esprit.

CLÉONTE, *à Covielle.* Ah ! ah ! on voit ce qu'on a fait.

NICOLE. Notre accueil de ce matin t'a fait prendre la
20 chèvre[3].

COVIELLE, *à Cléonte.* On a deviné l'enclouure[4].

LUCILE. N'est-il pas vrai, Cléonte, que c'est là le sujet de votre dépit ?

CLÉONTE. Oui, perfide, ce l'est, puisqu'il faut parler ; et
25 j'ai à vous dire que vous ne triompherez pas comme vous pensez de votre infidélité, que je veux être le premier à rompre avecque vous, et que vous n'aurez pas l'avantage de me chasser. J'aurai de la peine, sans doute, à vaincre l'amour que j'ai pour vous, cela me causera des

---

1. *scélérat* : méchant, coquin.
2. *Judas* : digne de Judas, traître, trompeur.
3. *prendre la chèvre* : se fâcher, prendre la mouche.
4. *enclouure* : au sens propre, blessure faite au sabot d'un cheval par un clou ; ici : point sensible.

30 chagrins, je souffrirai un temps, mais j'en viendrai à bout, et je me percerai plutôt le cœur, que d'avoir la faiblesse de retourner à vous.

COVIELLE, *à Nicole.* Queussi, queumi[1].

LUCILE. Voilà bien du bruit pour un rien. Je veux vous 35 dire, Cléonte, le sujet qui m'a fait ce matin éviter votre abord.

CLÉONTE *fait semblant de s'en aller et tourne autour du théâtre.* Non, je ne veux rien écouter.

NICOLE, *à Covielle.* Je te veux apprendre la cause qui nous a fait passer si vite.

40 COVIELLE, *voulant aussi s'en aller pour éviter Nicole.* Je ne veux rien entendre.

LUCILE *suit Cléonte.* Sachez que ce matin...

CLÉONTE. Non, vous dis-je.

NICOLE *suit Covielle.* Apprends que...

45 COVIELLE. Non, traîtresse.

LUCILE. Écoutez.

CLÉONTE. Point d'affaire.

NICOLE. Laissez-moi dire.

COVIELLE. Je suis sourd.

50 LUCILE. Cléonte !

CLÉONTE. Non.

NICOLE. Covielle.

COVIELLE. Point.

LUCILE. Arrêtez.

55 CLÉONTE. Chansons• !

NICOLE. Entends-moi.

COVIELLE. Bagatelles !

LUCILE. Un moment.

CLÉONTE. Point du tout.

60 NICOLE. Un peu de patience.

---

1. *queussi, queumi* : il en est pour moi comme pour lui (expression picarde).

COVIELLE. Tarare[1].

LUCILE. Deux paroles.

CLÉONTE. Non, c'en est fait.

NICOLE. Un mot.

65 COVIELLE. Plus de commerce•.

LUCILE, *s'arrêtant.* Hé bien ! puisque vous ne voulez pas m'écouter, demeurez dans votre pensée, et faites ce qu'il vous plaira.

NICOLE, *s'arrêtant aussi.* Puisque tu fais comme cela, 70 prends-le tout comme tu voudras.

CLÉONTE, *se retournant vers Lucile.* Sachons donc le sujet d'un si bel accueil.

LUCILE, *s'en allant à son tour pour éviter Cléonte.* Il ne me plaît plus de le dire.

75 COVIELLE, *se retournant vers Nicole.* Apprends-nous un peu cette histoire.

NICOLE, *s'en allant à son tour pour éviter Covielle.* Je ne veux plus, moi, te l'apprendre.

CLÉONTE. Dites-moi...

80 LUCILE. Non, je ne veux rien dire.

COVIELLE. Conte-moi...

NICOLE. Non, je ne conte rien.

CLÉONTE. De grâce.

LUCILE. Non, vous dis-je.

85 COVIELLE. Par charité.

NICOLE. Point d'affaire.

CLÉONTE. Je vous en prie.

LUCILE. Laissez-moi.

COVIELLE. Je t'en conjure.

90 NICOLE. Ôte-toi de là.

CLÉONTE. Lucile !

LUCILE. Non.

---

1. *tarare* : pas du tout ; équivalent : *taratata*.

COVIELLE. Nicole!

NICOLE. Point.

95 CLÉONTE. Au nom des dieux.

LUCILE. Je ne veux pas.

COVIELLE. Parle-moi.

NICOLE. Point du tout.

CLÉONTE. Éclaircissez mes doutes.

100 LUCILE. Non, je n'en ferai rien.

COVIELLE. Guéris-moi l'esprit.

NICOLE. Non, il ne me plaît pas.

CLÉONTE. Hé bien! puisque vous vous souciez si peu de me tirer de peine, et de vous justifier du traitement
105 indigne que vous avez fait à ma flamme[1], vous me voyez, ingrate, pour la dernière fois, et je vais loin de vous mourir de douleur et d'amour.

COVIELLE, *à Nicole.* Et moi, je vais suivre ses pas.

LUCILE, *à Cléonte, qui veut sortir.* Cléonte!

110 NICOLE, *à Covielle qui suit son maître.* Covielle!

CLÉONTE, *s'arrêtant.* Eh?

COVIELLE, *s'arrêtant aussi.* Plaît-il?

LUCILE. Où allez-vous?

CLÉONTE. Où je vous ai dit.

115 COVIELLE. Nous allons mourir.

LUCILE. Vous allez mourir, Cléonte?

CLÉONTE. Oui, cruelle, puisque vous le voulez.

LUCILE. Moi, je veux que vous mouriez?

CLÉONTE. Oui, vous le voulez.

120 LUCILE. Qui vous le dit?

CLÉONTE, *s'approchant de Lucile.* N'est-ce pas le vouloir, que ne vouloir pas éclaircir mes soupçons.

LUCILE. Est-ce ma faute? et si vous aviez voulu m'écouter, ne vous aurais-je pas dit que l'aventure dont

1. *flamme* : amour.

125 vous vous plaignez a été causée ce matin par la présence d'une vieille tante, qui veut à toute force que la seule approche d'un homme déshonore une fille, qui perpétuellement nous sermonne sur ce chapitre, et nous figure[1] tous les hommes comme des diables qu'il faut
130 fuir ?

NICOLE, *à Covielle.* Voilà le secret de l'affaire.

CLÉONTE. Ne me trompez-vous point, Lucile ?

COVIELLE, *à Nicole.* Ne m'en donnes-tu point à garder[2] ?

135 LUCILE, *à Cléonte.* Il n'est rien de plus vrai.

NICOLE, *à Covielle.* C'est la chose comme elle est.

COVIELLE, *à Cléonte.* Nous rendrons-nous à cela ?

CLÉONTE. Ah ! Lucile, qu'avec un mot de votre bouche vous savez apaiser de choses dans mon cœur ! et que
140 facilement on se laisse persuader aux[3] personnes qu'on aime !

COVIELLE. Qu'on est aisément amadoué[4] par ces diantres d'animaux-là !

1. *figure* : représente.
2. *ne m'en... à garder ?* : ne me trompes-tu pas ?
3. *aux* : par les.
4. *amadoué* : radouci.

Questions

Compréhension

1. *Cette scène dépeint de façon typique la querelle d'amoureux.*
a) Reconstituez précisément les phases de cette querelle.
b) Pour chaque phase, notez les sentiments qu'éprouvent les personnages masculins envers les personnages féminins, et réciproquement.
c) Quelle conclusion en tirez-vous ?
d) Quelle était finalement l'origine de la querelle ?

2. *À un moment, les hommes profèrent des menaces envers les femmes.*
a) Quelles sont-elles ?
b) Pensez-vous que les deux femmes ont réellement peur que les hommes mettent à exécution ces menaces ?
c) Alors pourquoi réagissent-elles ?

Écriture

3. *Observez avec précision sur quels procédés de style* s'appuie le comique de la scène en étudiant ; le rythme et le parallélisme des répliques, les retournements de situation.*

4. *N'avions-nous pas rencontré certains de ces procédés dans d'autres scènes ? Lesquelles ?*

Mise en scène

6. *D'autres dramaturges ont mis en scène des querelles entre amoureux. Recherchez-en des exemples (pensez à Marivaux, Musset, Labiche, Courteline).*

7. *La querelle d'amoureux est également très fréquente dans les œuvres cinématographiques. Recherchez-en des exemples.*

8. *Quels jeux de lumière proposeriez-vous pour cette scène ?*

SCÈNE 11. MME JOURDAIN, CLÉONTE, LUCILE, COVIELLE, NICOLE

MME JOURDAIN. Je suis bien aise de vous voir, Cléonte, et vous voilà tout à propos. Mon mari vient ; prenez vite votre temps[1] pour lui demander Lucile en mariage.

CLÉONTE. Ah ! madame, que cette parole m'est douce,
5 et qu'elle flatte mes désirs ! Pouvais-je recevoir un ordre plus charmant, une faveur plus précieuse ?

SCÈNE 12. M. JOURDAIN, MME JOURDAIN, CLÉONTE, LUCILE, COVIELLE, NICOLE

CLÉONTE. Monsieur, je n'ai voulu prendre personne pour vous faire une demande que je médite il y a longtemps. Elle me touche assez pour m'en charger moi-même ; et, sans autre détour, je vous dirai que l'honneur
5 d'être votre gendre est une faveur glorieuse que je vous prie de m'accorder.

M. JOURDAIN. Avant que de vous rendre réponse, monsieur, je vous prie de me dire si vous êtes gentilhomme.

CLÉONTE. Monsieur, la plupart des gens sur cette ques-
10 tion n'hésitent pas beaucoup. On tranche le mot[2] aisément. Ce nom ne fait aucun scrupule à prendre, et l'usage aujourd'hui semble en autoriser le vol. Pour moi, je vous avoue, j'ai les sentiments sur cette matière un peu plus délicats ; je trouve que toute imposture est
15 indigne d'un honnête homme, et qu'il y a de la lâcheté à déguiser ce que le Ciel nous a fait naître, à se parer aux yeux du monde d'un titre dérobé, à se vouloir donner pour ce qu'on n'est pas. Je suis né de parents, sans doute, qui ont tenu des charges[3] honorables. Je me suis
20 acquis dans les armes l'honneur de six ans de services,

1. *prenez vite votre temps* : saisissez vite l'occasion.
2. *le mot* : la question.
3. *charges* : fonctions publiques, dignités.

et je me trouve assez de bien pour tenir dans le monde un rang assez passable. Mais, avec tout cela, je ne veux point me donner un nom où d'autres en ma place croiraient pouvoir prétendre, et je vous dirai franchement
25 que je ne suis point gentilhomme.

M. JOURDAIN. Touchez là[1], monsieur : ma fille n'est pas pour vous.

CLÉONTE. Comment ?

M. JOURDAIN. Vous n'êtes point gentilhomme, vous
30 n'aurez pas ma fille.

MME JOURDAIN. Que voulez-vous donc dire avec votre gentilhomme ? est-ce que nous sommes, nous autres, de la côte de saint Louis[2] ?

M. JOURDAIN. Taisez-vous, ma femme : je vous vois
35 venir.

MME JOURDAIN. Descendons-nous tous deux que de bonne bourgeoisie ?

M. JOURDAIN. Voilà pas[3] le coup de langue[4] ?

MME JOURDAIN. Et votre père n'était-il pas marchand
40 aussi bien que le mien ?

M. JOURDAIN. Peste soit de la femme ! Elle n'y a jamais manqué. Si votre père a été marchand, tant pis pour lui ; mais pour le mien, ce sont des malavisés[5] qui disent cela. Tout ce que j'ai à vous dire, moi, c'est que je veux
45 avoir un gendre gentilhomme.

MME JOURDAIN. Il faut à votre fille un mari qui lui soit propre[6], et il vaut mieux pour elle un honnête homme riche et bien fait, qu'un gentilhomme gueux[7] et mal bâti.

NICOLE. Cela est vrai. Nous avons le fils du gentil

1. *touchez là* : touchez-moi la main (normalement en signe d'accord).
2. *de la côte de saint Louis* : de noblesse ancienne, qui descend du roi saint Louis ; on peut dire aussi « né de la cuisse de Jupiter ».
3. *voilà pas* : ne voilà-t-il pas...
4. *coup de langue* : médisance.
5. *malavisés* : mal informés.
6. *propre* : approprié.
7. *gueux* : personne qui vit d'aumônes.

50 homme de notre village, qui est le plus grand malitorne[1] et le plus sot dadais que j'aie jamais vu.

M. JOURDAIN. Taisez-vous, impertinente. Vous vous fourrez toujours dans la conversation. J'ai du bien assez pour ma fille, je n'ai besoin que d'honneur, et je la veux
55 faire marquise.

MME JOURDAIN. Marquise ?

M. JOURDAIN. Oui, marquise.

MME JOURDAIN. Hélas ! Dieu m'en garde !

M. JOURDAIN. C'est une chose que j'ai résolue.

60 MME JOURDAIN. C'est une chose, moi, où je ne consentirai point. Les alliances avec plus grand que soi sont sujettes toujours à de fâcheux inconvénients. Je ne veux point qu'un gendre puisse à ma fille reprocher ses parents, et qu'elle ait des enfants qui aient honte de
65 m'appeler leur grand-maman. S'il fallait qu'elle me vînt visiter en équipage[2] de grand-dame, et qu'elle manquât par mégarde à saluer quelqu'un du quartier, on ne manquerait pas aussitôt de dire cent sottises. « Voyez-vous, dirait-on, cette madame la marquise qui fait tant la glo-
70 rieuse[3], c'est la fille de monsieur Jourdain, qui était trop heureuse, étant petite, de jouer à la madame avec nous. Elle n'a pas toujours été si relevée[4] que la voilà, et ses deux grands-pères vendaient du drap auprès de la porte Saint-Innocent[5]. Ils ont amassé du bien à leurs enfants,
75 qu'ils payent maintenant peut-être bien cher en l'autre monde, et l'on ne devient guère si riches à être honnêtes gens. » Je ne veux point tous ces caquets• et je veux un homme, en un mot, qui m'ait obligation[6] de ma fille, et à

1. *malitorne* : mal bâti, maladroit.
2. *équipage* : tout ce qui constitue le train de vie extérieur ou intérieur : valets, chevaux, habits...
3. *glorieuse* : vaniteuse, fière.
4. *relevée* : prétentieuse, hautaine.
5. *porte St-Innocent* : porte du cimetière des Saints-Innocents, dans le quartier marchand de Paris, de nos jours quartier des Halles.
6. *qui m'ait obligation...* : qui me soit reconnaissant de lui avoir donné...

qui je puisse dire : « Mettez-vous là, mon gendre, et
80 dînez avec moi. »

M. JOURDAIN. Voilà bien les sentiments d'un petit esprit, de vouloir demeurer toujours dans la bassesse. Ne me répliquez pas davantage : ma fille sera marquise en dépit de tout le monde ; et si vous me mettez en colère,
85 je la ferai duchesse. *(Il sort.)*

MME JOURDAIN. Cléonte, ne perdez point courage encore. Suivez-moi, ma fille, et venez dire résolument à votre père que si vous ne l'avez, vous ne voulez épouser personne.

Questions

Compréhension

1. *M. et Mme Jourdain.*
a) Ont-ils la même conception du gendre idéal ? Précisez les conceptions de chacun.
b) Leurs rapports se sont-ils améliorés ? Essayez de trouver un adjectif pour caractériser ces rapports.

2. *En quoi Cléonte et Mme Jourdain se ressemblent-ils ?*

3. *Lucile est-elle présente sur la scène ? Prend-elle la parole ? Pourquoi ?*

Écriture / Réécriture

4. *La tirade de Cléonte (sc. 12, l. 9 à l. 25).*
a) Recherchez le vocabulaire se rapportant au champ lexical du mensonge.*
b) Que Cléonte condamne-t-il ?
c) Quelle est sa qualité principale ?

5. *Cléonte fait allusion à la « fausse noblesse » du XVIIe siècle. À quelle ligne ? (cf. Parcours thématique).*

6. *Connaissez-vous des récits, vrais ou fictifs (films, romans, contes) où deux personnes qui ne sont pas issues du même milieu social s'aiment pourtant ? Quelle est l'issue de cet amour ?*

Mise en scène

7. *Imaginez l'attitude de Lucile tout au long de la scène, ses déplacements, ses gestes, ses mimiques.*

SCÈNE 13. CLÉONTE, COVIELLE

COVIELLE. Vous avez fait de belles affaires avec vos beaux sentiments.

CLÉONTE. Que veux-tu ? j'ai un scrupule là-dessus, que l'exemple[1] ne saurait vaincre.

5 COVIELLE. Vous moquez-vous, de le prendre sérieusement avec un homme comme cela ? Ne voyez-vous pas qu'il est fou ? et vous coûtait-il quelque chose de vous accommoder à ses chimères[2] ?

CLÉONTE. Tu as raison ; mais je ne croyais pas qu'il 10 fallût faire ses preuves de noblesse pour être gendre de monsieur Jourdain.

COVIELLE. Ah, ah, ah !

CLÉONTE. De quoi ris-tu ?

COVIELLE. D'une pensée qui me vient pour jouer 15 notre homme, et vous faire obtenir ce que vous souhaitez.

CLÉONTE. Comment ?

COVIELLE. L'idée est tout à fait plaisante.

CLÉONTE. Quoi donc ?

20 COVIELLE. Il s'est fait depuis peu une certaine mascarade[3] qui vient[4] le mieux du monde ici, et que je prétends faire entrer dans une bourle[5] que je veux faire à notre ridicule. Tout cela sent un peu sa comédie ; mais avec lui on peut hasarder toute chose, il n'y faut point 25 chercher tant de façons, et il est homme à y jouer son rôle à merveille, à donner aisément dans toutes les fariboles[6] qu'on s'avisera de lui dire. J'ai les acteurs, j'ai les habits tout prêts : laissez-moi faire seulement.

---

1. *l'exemple* : de ceux qui usurpent les titres de noblesse.
2. *chimères* : illusions, idées folles et irréalisables.
3. *mascarade* : sorte de comédie où l'on se déguise.
4. *vient* : convient.
5. *bourle* : plaisanterie, tromperie burlesque.
6. *fariboles* : choses ou propos frivoles et irréalisables.

CLÉONTE. Mais apprends-moi...

30 COVIELLE. Je vais vous instruire de tout. Retirons-nous, le voilà qui revient.

Fernand Raynaud (M. Jourdain), Denise Provence (Dorimène), et Robert Party (Dorante), dans une mise en scène de J.-P. Darras ; décors et costumes de B. Dayde. Théâtre Hébertot, octobre 1962.

Questions

Compréhension

1. *Que Covielle reproche-t-il à Cléonte ?*

2. *a) Que lui propose-t-il ?*
b) Explique-t-il clairement sa stratégie ? Pourquoi ?

Mise en scène

3. *Les idées de ruses viennent souvent des serviteurs. Pourriez-vous donner d'autres exemples dans des pièces de Molière, notamment* Les Fourberies de Scapin *?*

4. *Le déguisement, le travestissement étaient utilisés fréquemment dans les farces et les comédies, spécialement dans la « Commedia dell'arte ». Recherchez ce qu'était ce théâtre d'origine italienne, cela vous aidera pour comprendre la suite de la pièce, car Molière s'en est beaucoup inspiré.*

SCÈNE 14. M. JOURDAIN, LAQUAIS

M. JOURDAIN. Que diable est-ce là ! ils n'ont rien que les grands seigneurs à me reprocher ; et moi, je ne vois rien de si beau que de hanter[1] les grands seigneurs : il n'y a qu'honneur et que civilité[2] avec eux, et je voudrais
5 qu'il m'eût coûté deux doigts de la main, et être né comte ou marquis.

LAQUAIS. Monsieur, voici monsieur le comte, et une dame qu'il mène par la main.

M. JOURDAIN. Hé mon Dieu ! j'ai quelques ordres à
10 donner. Dis-leur que je vais venir ici tout à l'heure•.

SCÈNE 15. DORIMÈNE, DORANTE, LAQUAIS

LAQUAIS. Monsieur dit comme cela qu'il va venir ici tout à l'heure.

DORANTE. Voilà qui est bien.

DORIMÈNE. Je ne sais pas, Dorante, je fais encore ici[3]
5 une étrange démarche, de me laisser amener par vous dans une maison où je ne connais personne.

DORANTE. Quel lieu voulez-vous donc, madame, que mon amour choisisse pour vous régaler, puisque, pour fuir l'éclat, vous ne voulez ni votre maison, ni la
10 mienne ?

DORIMÈNE. Mais vous ne dites pas que je m'engage insensiblement, chaque jour, à recevoir de trop grands témoignages de votre passion ? J'ai beau me défendre des choses, vous fatiguez ma résistance, et vous avez une
15 civile opiniâtreté[4] qui me fait venir doucement à tout ce qu'il vous plaît. Les visites fréquentes ont commencé ; les déclarations sont venues ensuite, qui après elles ont

---

1. *hanter* : fréquenter assidûment.
2. *civilité* : bonnes manières.
3. *ici* : en ce moment.
4. *civile opiniâtreté* : obstination aimable.

traîné[1] les sérénades et les cadeaux* que les présents ont suivis. Je me suis opposée à tout cela, mais vous ne vous rebutez point, et pied à pied vous gagnez[2] mes résolutions. Pour moi, je ne puis plus répondre de rien, et je crois qu'à la fin vous me ferez venir au mariage, dont je me suis tant éloignée.

DORANTE. Ma foi ! madame, vous y devriez déjà être. Vous êtes veuve, et ne dépendez que de vous. Je suis maître de moi, et vous aime plus que ma vie. À quoi tient-il que dès aujourd'hui vous ne fassiez tout mon bonheur ?

DORIMÈNE. Mon Dieu ! Dorante, il faut des deux parts bien des qualités pour vivre heureusement ensemble ; et les deux plus raisonnables personnes du monde ont souvent peine à composer une union dont ils soient satisfaits.

DORANTE. Vous vous moquez, madame, de vous y figurer tant de difficultés ; et l'expérience que vous avez faite ne conclut rien pour tous les autres.

DORIMÈNE. Enfin, j'en reviens toujours là : les dépenses que je vous vois faire pour moi m'inquiètent par deux raisons : l'une, qu'elles m'engagent plus que je ne voudrais ; et l'autre, que je suis sûre, sans vous déplaire, que vous ne les faites point que vous ne vous incommodiez[3] ; et je ne veux point cela.

DORANTE. Ah ! madame, ce sont des bagatelles[4] ; et ce n'est pas par là...

DORIMÈNE. Je sais ce que je dis ; et, entre autres, le diamant que vous m'avez forcée à prendre est d'un prix...

DORANTE. Eh ! madame, de grâce, ne faites point tant valoir une chose que mon amour trouve indigne de vous ; et souffrez... Voici le maître du logis.

1. *traîné* : entraîné.
2. *gagnez* : vainquez.
3. *incommodiez* : mettiez dans l'embarras (d'un point de vue financier).
4. *bagatelles* : choses de peu d'importance.

SCÈNE 16. M. JOURDAIN, DORIMÈNE, DORANTE, LAQUAIS

M. JOURDAIN, *après avoir fait deux révérences, se trouvant trop près de Dorimène..* Un peu plus loin, madame.

DORIMÈNE. Comment ?

M. JOURDAIN. Un pas, s'il vous plaît.

DORIMÈNE. Quoi donc ?

5 M. JOURDAIN. Reculez un peu, pour la troisième[1].

DORANTE. Madame, monsieur Jourdain sait son monde[2].

M. JOURDAIN. Madame, ce m'est une gloire bien grande de me voir assez fortuné pour être si heureux que 10 d'avoir le bonheur que vous avez eu la bonté de m'accorder la grâce de me faire l'honneur de m'honorer de la faveur de votre présence ; et si j'avais aussi le mérite pour mériter un mérite comme le vôtre, et que le Ciel... envieux de mon bien... m'eût accordé... l'avantage de 15 me voir digne... des...

DORANTE. Monsieur Jourdain, en voilà assez : madame n'aime pas les grands compliments, et elle sait que vous êtes homme d'esprit. *(Bas, à Dorimène.)* C'est un bon bourgeois assez ridicule, comme vous voyez, dans toutes 20 ses manières.

DORIMÈNE, *bas, à Dorante.* Il n'est pas malaisé de s'en apercevoir.

DORANTE. Madame, voilà le meilleur de mes amis.

M. JOURDAIN. C'est trop d'honneur que vous me faites.

25 DORANTE. Galant homme tout à fait.

DORIMÈNE. J'ai beaucoup d'estime pour lui.

M. JOURDAIN. Je n'ai rien fait encore, madame, pour mériter cette grâce.

DORANTE, *bas, à M. Jourdain.* Prenez garde au moins à 30 ne lui point parler du diamant que vous lui avez donné.

---

1. *troisième* : troisième révérence.
2. *sait son monde* : connaît les usages de la bonne société.

M. JOURDAIN. Ne pourrais-je pas seulement lui demander comment elle le trouve ?

DORANTE. Comment ? gardez-vous-en bien : cela serait vilain[1] à vous, et pour agir en galant homme•, il faut que
35 vous fassiez comme si ce n'était pas vous qui lui eussiez fait ce présent. Monsieur Jourdain, madame, dit qu'il est ravi de vous voir chez lui.

DORIMÈNE. Il m'honore beaucoup.

M. JOURDAIN, *bas, à Dorante.* Que je vous suis obligé,
40 monsieur, de lui parler ainsi pour moi !

DORANTE, *bas, à M. Jourdain.* J'ai eu une peine effroyable à la faire venir ici.

M. JOURDAIN, *bas, à Dorante.* Je ne sais quelles grâces vous en rendre.

45 DORANTE. Il dit, madame, qu'il vous trouve la plus belle personne du monde.

DORIMÈNE. C'est bien de la grâce qu'il me fait.

M. JOURDAIN. Madame, c'est vous qui faites les grâces[2] ; et...

50 DORANTE. Songeons à manger.

LAQUAIS. Tout est prêt, monsieur.

DORANTE. Allons donc nous mettre à table, et qu'on fasse venir les musiciens.

(Six cuisiniers, qui ont préparé le festin, dansent ensemble, et font le troisième intermède ; après quoi ils apportent une table couverte de plusieurs mets.)

1. *vilain* : digne d'un paysan, vulgaire.
2. *c'est vous qui faites les grâces* : c'est vous qui me faites la grâce (le pluriel rend la formule de M. Jourdain maladroite).

Questions

Compréhension

1. *Pourquoi Molière fait-il sortir M. Jourdain de scène ?*

2. *Un nouveau personnage féminin fait son entrée en scène.*
a) Récapitulez ce que nous savions d'elle.
b) Qu'apprenons-nous de nouveau à son propos ?
c) Cette femme vous paraît-elle sympathique ? Pourquoi ?

3. *Dorante joue un double jeu.*
a) Expliquez clairement en quoi consiste ce jeu et ce que chaque personnage sait des sentiments de l'autre.
b) Quels risques Dorante prend-il ? Quelles précautions ?
c) À quels moments précis est-il le plus « en danger ». Comment s'en sort-il ?
d) De quelle(s) qualité(s) fait-il donc preuve ?

4. *a) Quel rôle M. Jourdain joue-t-il dans cette histoire ?*
b) Quels sentiments vous inspire-t-il ?

Écriture / Réécriture

5. *Relevez les expressions « précieuses » (cf. III, 6) dans le dialogue entre Dorimène et Dorante à la scène 15.*

6. *À la scène 16, montrez que M. Jourdain est maladroit dans ses gestes et dans ses paroles.*

7. *Expliquez avec précision en quoi le compliment de M. Jourdain (sc. 16, l. 8 à l. 15) est à la fois maladroit, ridicule et drôle.*

8. *Sur le modèle du « compliment » de M. Jourdain, composez vous-mêmes une phrase d'excuse maladroite.*

Mise en scène

9. *Comment les personnages doivent-ils être placés sur la scène pour que le dialogue soit vraisemblable ?*

Bilan

L'action

• **Ce que nous savons**

L'exposition est enfin achevée : tous les personnages sont connus et les deux intrigues* sont nouées. M. Jourdain, confronté à ses proches, persiste dans son illusion de devenir un gentilhomme. Il met ainsi en péril l'équilibre de sa famille sur deux plans, qui constituent les deux pôles de l'action.*

L'intrigue amoureuse entre M. Jourdain et Dorimène met en danger le couple Jourdain. Elle a, de plus, peu de chance d'aboutir car le bourgeois se croit secondé par son « ami » Dorante dans la conquête de sa « belle marquise », alors que Dorante joue en fait un double jeu : sous couvert d'être l'entremetteur entre M. Jourdain et Dorimène, il se sert de l'argent du premier pour conquérir la deuxième.*

Le mariage de Lucile est compromis par le désir d'ascension sociale de son père. Il entend que sa fille se marie avec un noble et s'oppose donc à ce qu'elle épouse Cléonte, l'homme qu'elle aime et qui l'aime, mais qui n'est pas noble. Le mariage de Nicole et Covielle, les valets, devrait se faire en parallèle avec celui de Lucile et Cléonte.

• **Ce que nous ignorons**

– Dorante parviendra-t-il à ses fins sans être démasqué ?

– Qui aura le dernier mot à propos du mariage de Lucile ? Sa mère qui la soutient, ou son père qui s'y oppose ?

– Quelle est cette ruse que Covielle a imaginée ? À qui va-t-elle servir ?

Les personnages

• **M. Jourdain**

Dans son milieu familial, il se confirme être un homme sot et vaniteux ; sa folie des grandeurs met en péril l'équilibre des siens. Son égocentrisme et son autoritarisme borné s'ajoutent aux défauts que nous lui connaissions déjà. Il est la dupe de Dorante, financièrement et sentimentalement, mais malgré les tentatives de son entourage pour lui ouvrir les yeux, il reste convaincu de la justesse de son jugement. Il apparaît de plus en plus comme le jouet de tous, vivant dans ses rêves nobiliaires mais également comme un bourgeois parvenu et snob.

• **Madame Jourdain**
Elle se révèle être une femme raisonnable, sensée, ferme, consciente de ses droits et de ses devoirs. Elle est en totale opposition avec son mari, dans ses idées comme dans ses actions.

• **Dorante**
Ce « grand seigneur » est un grand tricheur. Jouant un double jeu, il apparaît comme un flatteur désinvolte, dénué de tout scrupule mais fort habile. Peu importent les moyens qu'il utilise s'il parvient à ses fins, c'est-à-dire conquérir Dorimène.

• **Dorimène**
C'est une femme noble, distinguée, mondaine mais sincère et dotée d'un certain sens de l'humour. Elle est à mille lieues de se douter de ce qui se trame derrière son dos.

• **Lucile**
C'est une jeune fille sage, amoureuse de Cléonte.

• **Cléonte**
Il apparaît comme un homme droit, sensible et sincère, profondément amoureux de Lucile.

• **Nicole**
C'est le type même de la servante de comédie. Elle suscite le rire par sa joie de vivre, son langage franc, populaire et imagé, mais incarne également la sagesse en faisant preuve d'un solide bon sens paysan. Elle prend le parti de la raison et seconde Mme Jourdain. Elle désire également réussir sa propre vie et œuvre pour elle-même afin d'épouser Covielle.

• **Covielle**
C'est le double masculin de Nicole ; il a le même entrain, et, doté d'une imagination fertile, en valet rusé, il vole au secours de son maître Cléonte.

L'écriture

La comédie bat son plein ; pour amplifier le comique, outre les procédés que nous avons déjà évoqués, Molière a recours à :*
– la construction même des scènes, comme celle du double dépit amoureux (sc. 9) ;
– la complicité du spectateur qui, par les révélations dont il est le témoin direct ou grâce aux apartés, est omniscient.
L'intervention de Covielle à la scène 13 laisse présager que son travestissement encore énigmatique entraînera la pièce vers la farce.

Irruption de Mme Jourdain au cours du dîner qui réunit M. Jourdain, Dorante et Dorimène (IV, 2). Gravure de Leloir.

ACTE IV

SCÈNE PREMIÈRE. DORANTE, DORIMÈNE, M. JOURDAIN, DEUX MUSICIENS, UNE MUSICIENNE, LAQUAIS

DORIMÈNE. Comment, Dorante ? voilà un repas tout à fait magnifique !

M. JOURDAIN. Vous vous moquez, madame, et je voudrais qu'il fût plus digne de vous être offert.

(Tous se mettent à table.)

DORANTE. Monsieur Jourdain a raison, madame, de parler de la sorte, et il m'oblige[1] de vous faire si bien les honneurs de chez lui. Je demeure d'accord avec lui que le repas n'est pas digne de vous. Comme c'est moi qui l'ai ordonné et que je n'ai pas sur cette matière les lumières de nos amis, vous n'avez pas ici un repas fort savant, et vous y trouverez des incongruités[2] de bonne chère[3], et des barbarismes[4] de bon goût. Si Damis s'en était mêlé, tout serait dans les règles ; il y aurait partout de l'élégance et de l'érudition, et il ne manquerait pas de vous exagérer[5] lui-même toutes les pièces du repas qu'il vous donnerait, et de vous faire tomber d'accord de sa haute capacité dans la science des bons morceaux, de vous parler d'un pain de rive à biseau doré[6], relevé de croûte partout, croquant tendrement sous la dent, d'un vin à sève veloutée, armé d'un vert qui n'est point trop commandant[1], d'un carré de mouton gourmandé[2] de

---

1. *m'oblige* : me fait plaisir.
2. *incongruités* : fautes (terme de grammaire).
3. *bonne chère* : concernant la bonne nourriture, le raffinement des repas.
4. *barbarisme* : faute grave portant atteinte à la pureté du langage (terme de grammaire).
5. *exagérer* : mettre en valeur.
6. *pain de rive à biseau doré* : pain bien doré de tous les côtés, en particulier sur le biseau (tranche), parce qu'il a été cuit sur le bord du four (la rive).
7. *un vert... trop commandant* : ayant un goût de vin nouveau mais pas trop acide.
8. *gourmandé* : assaisonné.

persil ; d'une longe[1] de veau de rivière[2], longue comme cela, blanche, délicate, et qui sous les dents est une vraie pâte d'amande ; de perdrix relevées d'un fumet surpre-
25 nant ; et pour son opéra[3], d'une soupe à bouillon perlé[4], soutenue d'un jeune gros dindon cantonné[5] de pigeonneaux, et couronnée d'oignons blancs mariés avec la chicorée. Mais pour moi, je vous avoue mon ignorance ; et comme monsieur Jourdain a fort bien dit, je voudrais
30 que le repas fût plus digne de vous être offert.

DORIMÈNE. Je ne réponds à ce compliment qu'en mangeant comme je fais.

M. JOURDAIN. Ah ! que voilà de belles mains !

DORIMÈNE. Les mains sont médiocres, monsieur Jour-
35 dain ; mais vous voulez parler du diamant, qui est fort beau.

M. JOURDAIN. Moi, madame ! Dieu me garde d'en vouloir parler, ce ne serait pas agir en galant homme, et le diamant est fort peu de chose.

40 DORIMÈNE. Vous êtes bien dégoûté.

M. JOURDAIN. Vous avez trop de bonté...

DORANTE. Allons, qu'on donne du vin à monsieur Jourdain, et à ces messieurs, qui nous feront la grâce de nous chanter un air à boire.

45 DORIMÈNE. C'est merveilleusement assaisonner la bonne chère que d'y mêler la musique, et je me vois ici admirablement régalée.

M. JOURDAIN. Madame, ce n'est pas...

DORANTE. Monsieur Jourdain, prêtons silence à ces
50 messieurs ; ce qu'ils nous diront vaudra mieux que tout ce que nous pourrions dire.

---

1. *longe* : partie comprise entre le bas de l'épaule et la queue.
2. *veau de rivière* : veau très gras élevé dans les prairies qui bordent la Seine ou d'autres rivières.
3. *opéra* : chef-d'œuvre.
4. *bouillon perlé* : bouillon de viande bien fait.
5. *cantonné* : garni aux quatre coins.

(Les musiciens et la musicienne prennent des verres, chantent deux chansons à boire, et sont soutenus de toute la symphonie.)

PREMIÈRE CHANSON À BOIRE

Un petit doigt, Philis, pour commencer le tour.[1]
Ah ! qu'un verre en vos mains a d'agréables charmes !
Vous et le vin, vous vous prêtez des armes,
55 *Et je sens pour tous deux redoubler mon amour :*
Entre lui, vous et moi, jurons, jurons, ma belle,
Une ardeur éternelle.
Qu'en mouillant votre bouche il en reçoit d'attraits,
Et que l'on voit par lui votre bouche embellie !
60 *Ah ! l'un de l'autre, ils me donnent envie,*
Et de vous et de lui je m'enivre à longs traits :
Entre lui, vous et moi, jurons, jurons, ma belle,
Une ardeur éternelle.

SECONDE CHANSON À BOIRE

Buvons, chers amis, buvons :
65 *Le temps qui fuit nous y convie ;*
Profitons de la vie
Autant que nous pouvons.
Quand on a passé l'onde noire[2]*,*
Adieu le bon vin, nos amours ;
70 *Dépêchons-nous de boire,*
On ne boit pas toujours.
Laissons raisonner les sots
Sur le vrai bonheur de la vie ;
Notre philosophie
75 *Le met parmi les pots.*
Les biens, le savoir et la gloire
N'ôtent point les soucis fâcheux,
Et ce n'est qu'à bien boire
Que l'on peut être heureux.

1. *tour* : tournée.
2. *onde noire* : eau du Styx, fleuve des enfers ; passer l'onde noire signifie donc mourir.

80 *Sus, sus*[1]*, du vin partout, versez, garçons, versez,*
Versez, versez toujours, tant qu'[2]*on vous dise assez.*

DORIMÈNE. Je ne crois pas qu'on puisse mieux chanter, et cela est tout à fait beau.

M. JOURDAIN. Je vois encore ici, madame, quelque 85 chose de plus beau.

DORIMÈNE. Ouais! monsieur Jourdain est galant plus que je ne pensais.

DORANTE. Comment, madame? pour qui prenez-vous monsieur Jourdain?

90 M. JOURDAIN. Je voudrais bien qu'elle me prît pour ce que je dirais!

DORIMÈNE. Encore!

DORANTE. Vous ne le connaissez pas.

M. JOURDAIN. Elle me connaîtra quand il lui plaira.

95 DORIMÈNE. Oh! je le quitte[3].

DORANTE. Il est homme qui a toujours la riposte en main. Mais vous ne voyez pas que monsieur Jourdain, madame, mange tous les morceaux que vous touchez[4].

DORIMÈNE. Monsieur Jourdain est un homme qui me 100 ravit.

M. JOURDAIN. Si je pouvais ravir votre cœur, je serais...

---

1. *sus, sus* : interjection servant à encourager : allons vite.
2. *tant que* : jusqu'à ce que.
3. *je le quitte* : j'y renonce.
4. *que vous touchez* : morceaux entamés et laissés par Dorimène qui se sert la première. À cette époque, on mangeait avec les mains.

Questions

Compréhension

1. *a) Que révèle la longue tirade* de Dorante ?*
b) En parlant ainsi, quelles sont ses intentions vis-à-vis de Dorimène ? vis-à-vis de M. Jourdain ?

2. *a) Pourquoi Dorimène parle-t-elle du diamant ?*
b) Comment réagit M. Jourdain à cette allusion ?
c) Retrouvez dans l'acte précédent l'avertissement de Dorante auquel il obéit en parlant ainsi.

Écriture / Réécriture

3. *« Que vous touchez » (l. 98) : pour comprendre cette expression, renseignez-vous sur la façon dont on mangeait à l'époque, en vous référant au Parcours thématique.*

4. *Qu'est-ce que le marivaudage ? le badinage ? Trouvez-en des exemples dans cette scène et relevez en particulier :*
a) Les compliments voilés de M. Jourdain.
b) Les sous-entendus de Dorante et de Dorimène.

5. *a) Qu'est-ce que la gastronomie ?*
b) Dans les grands restaurants, le « chef » vient commenter aux clients le menu pour leur en expliquer l'élaboration. Recherchez ou imaginez :
- *la composition d'un menu de nos jours dans un grand restaurant français (cuisine nationale ou régionale),*
- *le commentaire que le chef ferait de l'un des plats.*

Mise en scène

6. *Essayez de reconstituer sous forme d'une composition décorative (en faisant intervenir le dessin, la peinture, le collage...) le menu que Dorante décrit.*

7. *Qu'est-ce qu'une chanson à boire ? Quel en est le but ? Recherchez-en d'autres.*

8. *Dossier : M. Jourdain à la fin du XXᵉ siècle.*
Quels biens possèderait-il ? (Collections d'objets, bateau, maisons principale et secondaire, de quel type, en quels lieux ?)

SCÈNE 2. MME JOURDAIN, M. JOURDAIN, DORIMÈNE, DORANTE, MUSICIENS, MUSICIENNES, LAQUAIS

MME JOURDAIN. Ah, ah ! je trouve ici bonne compagnie, et je vois bien qu'on ne m'y attendait pas. C'est donc pour cette belle affaire-ci, monsieur mon mari, que vous avez eu tant d'empressement à m'envoyer dîner chez ma sœur ? Je viens de voir un théâtre[1] là-bas[2], et je vois ici un banquet à faire noces. Voilà comme vous dépensez votre bien, et c'est ainsi que vous festinez[3] les dames en mon absence, et que vous leur donnez la musique et la comédie, tandis que vous m'envoyez promener ?

DORANTE. Que voulez-vous dire, madame Jourdain ? et quelles fantaisies[4] sont les vôtres, de vous aller mettre en tête que votre mari dépense son bien, et que c'est lui qui donne ce régale[5] à madame ? Apprenez que c'est moi, je vous prie ; qu'il ne fait seulement que me prêter sa maison, et que vous devriez un peu mieux regarder aux choses que vous dites.

M. JOURDAIN. Oui, impertinente, c'est monsieur le comte qui donne tout ceci à madame, qui est une personne de qualité. Il me fait l'honneur de prendre ma maison, et de vouloir que je sois avec lui.

MME JOURDAIN. Ce sont des chansons• que cela : je sais ce que je sais.

DORANTE. Prenez, madame Jourdain, prenez de meilleures lunettes.

MME JOURDAIN. Je n'ai que faire de lunettes, monsieur, et je vois assez clair ; il y a longtemps que je sens les choses, et je ne suis pas une bête. Cela est fort vilain à vous, pour un grand seigneur, de prêter la main comme vous faites aux sottises de mon mari. Et vous, madame, pour une grand-dame, cela n'est ni beau ni honnête à

1. *théâtre* : celui que Covielle a fait dresser pour la cérémonie turque.
2. *là-bas* : en bas.
3. *festiner* : régaler d'un festin.
4. *fantaisies* : idées extravagantes.
5. *régale* : fête.

vous, de mettre de la dissension[1] dans un ménage, et de souffrir[2] que mon mari soit amoureux de vous.

DORIMÈNE. Que veut donc dire tout ceci? Allez, Dorante, vous vous moquez, de m'exposer aux sottes
35 visions• de cette extravagante.

DORANTE, *suivant Dorimène qui sort.* Madame, holà! madame, où courez-vous?

M. JOURDAIN. Madame! monsieur le comte, faites-lui excuses, et tâchez de la ramener. Ah! impertinente que
40 vous êtes! voilà de vos beaux faits; vous me venez faire des affronts devant tout le monde, et vous chassez de chez moi des personnes de qualité.

MME JOURDAIN. Je me moque de leur qualité.

M. JOURDAIN. Je ne sais qui me tient•, maudite, que je
45 ne vous fende la tête avec les pièces du repas que vous êtes venue troubler. *(On ôte la table.)*

MME JOURDAIN, *sortant.* Je me moque de cela. Ce sont mes droits que je défends, et j'aurai pour moi toutes les femmes.

50 M. JOURDAIN. Vous faites bien d'éviter ma colère. *(Seul.)* Elle est arrivée là bien malheureusement. J'étais en humeur de dire de jolies choses, et jamais je ne m'étais senti tant d'esprit. Qu'est-ce que c'est que cela?

1. *dissension* : discorde.
2. *souffrir* : supporter, tolérer.

Questions

Compréhension

1. *Le retour sur scène de Mme Jourdain est-il une surprise ?*

2. *a) Comment Dorante sauve-t-il la situation ?*
b) Les explications qu'il fournit sont-elles fausses ?
c) Comment chaque personnage interprète-t-il ces explications ? Qui les croit ? Qui ne les croit pas ?

3. *a) M. Jourdain reste-t-il longtemps en colère à la fin de la scène ?*
b) Pourquoi ?

4. *Quels sont ces « droits » que mentionne Mme Jourdain à la ligne 48 ?*

Écriture / Réécriture

5. *Qu'est-ce qu'un vaudeville ? Cette scène en est-elle un ?*

6. *À qui Mme Jourdain s'adresse-t-elle successivement ? Sur quel ton à chaque fois ?*

7. *Quels signes de ponctuation indiquent le ton des personnages ? De quels sentiments sont-ils révélateurs pour chacun d'entre eux ?*

8. *Imaginez quelles auraient pu être les autres réactions de Mme Jourdain.*

9. *Les droits de la femme.*
a) Recherchez quels étaient exactement les droits de la femme à l'époque de Molière.
b) Molière a écrit d'autres pièces où il attaquait ou défendait les femmes. Recherchez le thème des Précieuses ridicules *et des* Femmes savantes.
c) • Où en sommes-nous à la fin du XXe *siècle dans l'évolution des droits de la femme ?*
• Recherchez les dates les plus importantes dans cette évolution.

Mise en scène

10. *Ajoutez à cette scène des didascalies* pour indiquer les mimiques, le ton, le déplacement des personnages sur la scène.*

SCÈNE 3. COVIELLE, *déguisé,* M. JOURDAIN, LAQUAIS

COVIELLE. Monsieur, je ne sais pas si j'ai l'honneur d'être connu de vous.

M. JOURDAIN. Non, monsieur.

COVIELLE. Je vous ai vu que vous n'étiez pas plus
5 grand que cela.

M. JOURDAIN. Moi !

COVIELLE. Oui, vous étiez le plus bel enfant du monde, et toutes les dames vous prenaient dans leurs bras pour vous baiser.

10 M. JOURDAIN. Pour me baiser !

COVIELLE. Oui. J'étais grand ami de feu[1] monsieur votre père.

M. JOURDAIN. De feu monsieur mon père !

COVIELLE. Oui. C'était un fort honnête gentilhomme.

15 M. JOURDAIN. Comment dites-vous ?

COVIELLE. Je dis que c'était un fort honnête gentilhomme.

M. JOURDAIN. Mon père !

COVIELLE. Oui.

20 M. JOURDAIN. Vous l'avez fort connu ?

COVIELLE. Assurément.

M. JOURDAIN. Et vous l'avez connu pour[2] gentilhomme ?

COVIELLE. Sans doute.

25 M. JOURDAIN. Je ne sais donc pas comment le monde est fait.

COVIELLE. Comment ?

M. JOURDAIN. Il y a de sottes gens qui me veulent dire qu'il a été marchand.

---

1. *feu* : décédé, mort.
2. *pour* : comme étant.

30 COVIELLE. Lui, marchand ! C'est pure médisance, il ne l'a jamais été. Tout ce qu'il faisait, c'est qu'il était fort obligeant[1], fort officieux[2], et comme il se connaissait fort bien en étoffes, il en allait choisir de tous les côtés, les faisait apporter chez lui et en donnait à ses amis pour de
35 l'argent.

M. JOURDAIN. Je suis ravi de vous connaître, afin que vous rendiez ce témoignage-là, que mon père était gentilhomme.

COVIELLE. Je le soutiendrai devant tout le monde.

40 M. JOURDAIN. Vous m'obligerez. Quel sujet vous amène ?

COVIELLE. Depuis avoir connu feu monsieur votre père, honnête gentilhomme, comme je vous ai dit, j'ai voyagé par tout le monde.

45 M. JOURDAIN. Par tout le monde !

COVIELLE. Oui.

M. JOURDAIN. Je pense qu'il y a bien loin en ce pays-là.

COVIELLE. Assurément. Je ne suis revenu de tous mes longs voyages que depuis quatre jours ; et par l'intérêt
50 que je prends à tout ce qui vous touche, je viens vous annoncer la meilleure nouvelle du monde.

M. JOURDAIN. Quelle ?

COVIELLE. Vous savez que le fils du Grand Turc[3] est ici ?

55 M. JOURDAIN. Moi ? Non.

COVIELLE. Comment ? il a un train[4] tout à fait magnifique ; tout le monde le va voir, et il a été reçu en ce pays comme un seigneur d'importance.

M. JOURDAIN. Par ma foi ! je ne savais pas cela.

60 COVIELLE. Ce qu'il y a d'avantageux pour vous, c'est qu'il est amoureux de votre fille.

---

1. *obligeant* : qui aime à faire plaisir.
2. *officieux* : serviable.
3. *Grand Turc* : empereur des Turcs.
4. *train* : suite de valets, de chevaux, etc.

M. JOURDAIN. Le fils du Grand Turc ?

COVIELLE. Oui ; et il veut être votre gendre.

M. JOURDAIN. Mon gendre, le fils du Grand Turc !

65 COVIELLE. Le fils du Grand Turc votre gendre. Comme je le fus voir et que j'entends parfaitement sa langue, il s'entretint avec moi ; et, après quelques autres discours, il me dit : « *Acciam croc soler ouch alla moustaph gidelum amanabem varahini oussere carbulath* », c'est-à-dire :
70 « N'as-tu point vu une jeune belle personne, qui est la fille de monsieur Jourdain, gentilhomme parisien ? »

M. JOURDAIN. Le fils du Grand Turc dit cela de moi ?

COVIELLE. Oui. Comme je lui eus répondu que je vous connaissais particulièrement, et que j'avais vu votre
75 fille : « Ah ! me dit-il, *marababa sahem* » ; c'est-à-dire : « Ah ! que je suis amoureux d'elle ! »

M. JOURDAIN. *Marababa sahem* veut dire : « Ah ! que je suis amoureux d'elle » ?

COVIELLE. Oui.

80 M. JOURDAIN. Par ma foi ! vous faites bien de me le dire, car pour moi je n'aurais jamais cru que *marababa sahem* eût voulu dire : « Ah ! que je suis amoureux d'elle ! » Voilà une langue admirable que ce turc !

COVIELLE. Plus admirable qu'on ne peut croire. Savez-
85 vous bien ce que veut dire *cacaracamouchen ?*

M. JOURDAIN. *Cacaracamouchen ?* Non.

COVIELLE. C'est-à-dire : « Ma chère âme ».

M. JOURDAIN. *Cacaracamouchen* veut dire : « Ma chère âme » ?

90 COVIELLE. Oui.

M. JOURDAIN. Voilà qui est merveilleux ! *Cacaracamouchen,* « Ma chère âme ». Dirait-on jamais cela ? Voilà qui me confond.

COVIELLE. Enfin, pour achever mon ambassade[1], il
95 vient vous demander votre fille en mariage ; et pour

1. *ambassade :* mission.

avoir un beau-père qui soit digne de lui, il veut vous faire *Mamamouchi*[1], qui est une certaine grande dignité de son pays.

M. JOURDAIN. *Mamamouchi ?*

100 COVIELLE. Oui, *Mamamouchi ;* c'est-à-dire, en notre langue, paladin[2]. Paladin, ce sont de ces anciens... Paladin enfin. Il n'y a rien de plus noble que cela dans le monde, et vous irez de pair avec les plus grands seigneurs de la terre.

105 M. JOURDAIN. Le fils du Grand Turc m'honore beaucoup, et je vous prie de me mener chez lui pour lui en faire mes remerciements.

COVIELLE. Comment ? le voilà qui va venir ici.

M. JOURDAIN. Il va venir ici ?

110 COVIELLE. Oui ; et il amène toutes les choses pour la cérémonie de votre dignité.

M. JOURDAIN. Voilà qui est bien prompt.

COVIELLE. Son amour ne peut souffrir aucun retardement[3].

115 M. JOURDAIN. Tout ce qui m'embarrasse ici, c'est que ma fille est une opiniâtre, qui s'est allée mettre dans la tête un certain Cléonte, et elle jure de n'épouser personne que celui-là.

COVIELLE. Elle changera de sentiment quand elle verra
120 le fils du Grand Turc ; et puis il se rencontre ici une aventure merveilleuse, c'est que le fils du Grand Turc ressemble à ce Cléonte, à peu de chose près. Je viens de le voir, on me l'a montré ; et l'amour qu'elle a pour l'un pourra passer aisément à l'autre, et... Je l'entends venir :
125 le voilà.

---

1. *mamamouchi* : vraisemblablement, ce mot, créé par Molière, signifie « propre à rien », d'après l'arabe « ma menou schi » : « non chose bonne ».
2. *paladin* : nom donné aux seigneurs de la cour de Charlemagne.
3. *retardement* : retard.

SCÈNE 4. CLÉONTE, *en Turc, avec trois pages portant sa veste,* M. JOURDAIN, COVIELLE, *déguisé*

CLÉONTE. *Ambousahim oqui boraf, Iordina salamalequi*[1].

COVIELLE. C'est-à-dire : « Monsieur Jourdain, votre cœur soit toute l'année comme un rosier fleuri. » Ce sont
5 façons de parler obligeantes de ces pays-là.

M. JOURDAIN. Je suis très humble serviteur de son Altesse Turque.

COVIELLE. *Carigar camboto oustin moraf.*

CLÉONTE. *Oustin yoc*[2] *catamalequi basum base alla*
10 *moram.*

COVIELLE. Il dit : « Que le Ciel vous donne la force des lions et la prudence des serpents ! »

M. JOURDAIN. Son Altesse Turque m'honore trop, et je lui souhaite toutes sortes de prospérités.

15 COVIELLE. *Ossa binamen sadoc babally oracaf ouram.*

CLÉONTE. *Bel-men*[3].

COVIELLE. Il dit que vous alliez vite avec lui vous préparer pour la cérémonie, afin de voir ensuite votre fille, et de conclure le mariage.

20 M. JOURDAIN. Tant de choses en deux mots ?

COVIELLE. Oui, la langue turque est comme cela, elle dit beaucoup en peu de paroles. Allez vite où il souhaite.

---

1. *salamalequi* : déformation pour « salamalec », de l'arabe signifiant « que la paix soit sur ta tête ».
2. *yoc* : pour « yok » signifiant « non » en turc.
3. *Bel-men* : du turc « bilmen » signifiant « je ne sais pas ».

SCÈNE 5. DORANTE, COVIELLE

COVIELLE. Ha, ha, ha ! Ma foi ! cela est tout à fait drôle. Quelle dupe ! Quand il aurait appris son rôle par cœur, il ne pourrait pas le mieux jouer. Ah, ah. Je vous prie, monsieur, de nous vouloir aider céans•, dans une affaire
5 qui s'y passe.

DORANTE. Ah, ah, Covielle, qui t'aurait reconnu ? Comme te voilà ajusté[1] !

COVIELLE. Vous voyez. Ah, ah !

DORANTE. De quoi ris-tu ?

10 COVIELLE. D'une chose, monsieur, qui le mérite bien.

DORANTE. Comment ?

COVIELLE. Je vous le donnerais en bien des fois[2], monsieur, à deviner le stratagème dont nous nous servons auprès de Monsieur Jourdain, pour porter son esprit à
15 donner sa fille à mon maître.

DORANTE. Je ne devine point le stratagème[3], mais je devine qu'il ne manquera pas de faire son effet, puisque tu l'entreprends.

COVIELLE. Je sais, monsieur, que la bête vous est
20 connue[4].

DORANTE. Apprends-moi ce que c'est.

COVIELLE. Prenez la peine de vous tirer[5] un peu plus loin, pour faire place à ce que j'aperçois venir. Vous pourrez voir une partie de l'histoire, tandis que je vous
25 conterai le reste.

(La cérémonie turque pour ennoblir[6] le Bourgeois se fait en danse et en musique, et compose le quatrième intermède.)

---

1. *ajusté* : arrangé, déguisé.
2. *je vous... fois* : terme de jeu par lequel on défie quelqu'un de faire mieux que soi.
3. *stratagème* : ruse.
4. *la bête... connue* : vous me connaissez bien.
5. *tirer* : retirer.
6. *ennoblir* : anoblir.

Le Mufti[1], quatre Dervis[2], six Turcs dansant, six Turcs musiciens, et autres joueurs d'instruments à la turque, sont les acteurs de cette cérémonie.
Le Mufti invoque Mahomet avec les douze Turcs et les quatre Dervis ; après on lui amène le Bourgeois, vêtu à la turque, sans turban et sans sabre, auquel il chante ces paroles :

	TEXTE	TRADUCTION
		LE MUFTI
	Se ti sabir[3],	Si toi savoir,
	Ti respondir ;	Toi, répondre ;
	Se non sabir,	Si non savoir,
	Tazir, tazir.	Te taire, te taire.
5	*Mi star Mufti,*	Moi être Mufti :
	Ti qui star ti ?	Toi, qui être, toi ?
	Non intendir :	(Toi) pas entendre [comprendre] :
	Tazir, tazir.	Te taire, te taire.

Le Mufti demande, en même langue, aux Turcs assistants de quelle religion est le Bourgeois, et ils l'assurent qu'il est mahométan. Le Mufti invoque Mahomet en langue franque[4], et chante les paroles qui suivent :

		LE MUFTI
	Mahametta per Giourdina	Mahomet, pour Jourdain,
10	*Mi pregar sera e mattina :*	Moi prier soir et matin :
	Voler far un Paladina	Vouloir faire un Paladin
	Dé Giourdina, dé Giourdina.	De Jourdain, de Jourdain.
	Dar turbanta, é dar scarcina,	Donner turban, et donner [cimeterre,
	Con galera é brigantina,	Avec galère et brigantine,
15	*Per deffender Palestina.*	Pour défendre Palestine.
	Mahametta, etc.	Mahomet, etc.

1. *Mufti* : chef de la religion musulmane chargé d'interpréter le Coran et de résoudre les litiges juridiques et religieux.
2. *Dervi* : moine musulman.
3. *se ti sabir* : ces couplets sont écrits dans un jargon appelé « sabir ». C'était un mélange de français, d'italien, d'espagnol et d'arabe.
4. *franque* : parlée par les Francs.

Le Mufti demande aux Turcs si le Bourgeois sera ferme dans la religion mahométane, et leur chante ces paroles :

LE MUFTI

Star bon Turca Giourdina ? Être bon Turc, Jourdain ?

LES TURCS

Hi valla. Je l'affirme par Dieu.

LE MUFTI danse et chante ces mots :

Hu la ba ba la chou ba la ba ba la da.

Les Turcs répondent les mêmes vers.
Le Mufti propose de donner le turban au Bourgeois, et chante les paroles qui suivent :

LE MUFTI

20 *Ti non star furba ?* Toi, pas être fourbe ?

LES TURCS

No, no, no. Non, non, non.

LE MUFTI

Non star furfanta ? Pas être fripon ?

LES TURCS

No, no, no. Non, non, non.

LE MUFTI

Donar turbanta, donar [turbanta. Donner turban, donner [turban.

Les Turcs répètent tout ce qu'a dit le Mufti pour donner le turban au Bourgeois. Le Mufti et les Dervis se coiffent avec des turbans de cérémonies ; et l'on présente au Mufti l'Alcoran[1], qui fait une seconde invocation avec tout le reste des Turcs assistants ; après son invocation, il donne au Bourgeois l'épée, et chante ces paroles :

1. *Alcoran* : le Coran, livre qui contient la loi religieuse de Mahomet.

LE MUFTI

25 *Ti star nobilé, é non star [fabbola*	Toi être noble, et (cela) pas [être fable.
Pigliar schiabbola.	Prendre sabre.

Les Turcs répètent les mêmes vers, mettant tous le sabre à la main, et six d'entre eux dansent autour du Bourgeois, auquel ils feignent de donner plusieurs coups de sabre.
Le Mufti commande aux Turcs de bâtonner le Bourgeois, et chante les paroles qui suivent :

LE MUFTI

Dara, dara,	Donner, donner...,
Bastonnara, bastonnara.	Bâtonner, bâtonner.

Les Turcs répètent les mêmes vers, et lui donnent plusieurs coups de bâton en cadence.
Le Mufti, après l'avoir fait bâtonner, lui dit en chantant :

LE MUFTI

Non tenar honta :	Ne pas avoir honte :
Questa star ultima affronta.	Celui-ci être (le) dernier affront.

Les Turcs répètent les mêmes vers.
Le Mufti recommence une invocation, et se retire après la cérémonie avec tous les Turcs, en dansant et chantant avec plusieurs instruments à la turquesque[1].

1. *turquesque* : manière turque.

Questions

Compréhension

1. *Covielle, déguisé, fait à M. Jourdain sept révélations successives (sc. 3).*
a) Retrouvez-les.
b) En quoi Covielle se montre-t-il très habile ? Quels points sensibles de M. Jourdain touche-t-il ?
c) Trouvez-vous l'histoire qu'il raconte vraisemblable ?
d) Pourquoi M. Jourdain y croit-il ?

2. *M. Jourdain songe-t-il au bonheur de sa fille ? Par quoi est-il aveuglé ?*

3. *a) Dans quel « clan » Dorante se place-t-il (sc. 5) ?*
b) Finalement, quels personnages sont des adjuvants ? des opposants* ?*

4. *La cérémonie turque :*
a) Quels en sont les différents mouvements ?*
b) Résumez en quelques phrases en quoi elle consiste.

Écriture / Réécriture

5. *Covielle emploie des termes (sc. 3) qui font un immense plaisir à M. Jourdain car ils touchent ses points sensibles. Relevez ces termes.*

6. *Comparez la scène 3 à la scène 4 de l'acte II. Qu'ont-elles en commun ?*

7. *La langue turque :*
a) Qu'ont de particulier les formules de politesse du « fils du Grand Turc » ? Montrez qu'elles font appel à l'imagination.
b) Quelles autres remarques pouvez-vous faire sur cette « langue » ? Observez en particulier l'expression et la formulation des sentiments, à travers les adjectifs et la ponctuation.

8. *La cérémonie turque est évidemment une farce mais dans certains pays il existait ou existe encore de véritables cérémonies pour remettre un titre, une distinction ou pour investir quelqu'un d'un pouvoir.*
a) Recherchez ce qu'était autrefois un « adoubement ».
b) Documentez-vous sur des « cérémonies » existant encore de nos jours.
c) Chez les enfants ou les adolescents, dans des « clans », des « bandes », on trouve ce genre de cérémonial d'admission.

• *En avez-vous déjà été personnellement l'initiateur, le témoin ou l'acteur ?*

• *En avez-vous lu ou vu des exemples dans des livres ou au cinéma ?*

Mise en scène

9. *Efforcez-vous de prononcer les phrases turques sans écorcher les mots.*

10. *Dossier :* <u>*La représentation du* Bourgeois gentilhomme *en 1670.*</u>
Recherchez des reproductions de costumes turcs typiques du XVIIe siècle.

11. *Jusqu'à présent, la pièce était comique*; elle tourne maintenant à la farce, grâce à certains procédés et en particulier à la mise en scène. Montrez-le.*

12. *Recherchez une musique adaptée à la cérémonie turque.*

13. *Pour accentuer le comique* de cette scène, certains gestes peuvent être exagérés. Lesquels en particulier ? Pour vous aider, reportez-vous au mot « comique » dans le Lexique stylistique.*

M. Jourdain (Louis Seigner) et Covielle déguisé en Turc.

Bilan

L'action

• Ce que nous savons

L'action a beaucoup progressé.

– L'intrigue amoureuse entre M. Jourdain et Dorimène semble de plus en plus tenir de l'illusion, les liens entre Dorante et la marquise se confirmant au fil des scènes. Dorante a besoin de l'incroyable crédulité de M. Jourdain et doit déployer beaucoup d'habileté pour que sa supercherie ne soit pas dévoilée au grand jour.*

– Quant au mariage de Cléonte et Lucile, Covielle a pris l'affaire en main ; il a solidement installé M. Jourdain dans le monde des apparences et de l'illusion en le plaçant, en tant que Mamamouchi, au faîte d'une gloire tout aussi inespérée que chimérique.

• Ce que nous ignorons

– M. Jourdain sera-t-il crédule jusqu'au bout ? Ne reconnaîtra-t-il ni Cléonte, ni Covielle sous leurs masques ?

– Quelle sera la réaction des trois femmes de la maison, Mme Jourdain, Lucile et Nicole, devant cette mascarade ?

– Dorante parviendra-t-il à tirer les ficelles en même temps que son épingle du jeu, sans être découvert ni par Dorimène, ni par M. Jourdain ?

Les personnages

Les caractères se confirment plus qu'ils n'évoluent.

• Mme Jourdain

Lucide et énergique, elle n'entend pas être une dupe et défend avec vigueur ses intérêts ainsi que ceux de sa fille.

• M. Jourdain

Il voit ses rêves exaucés et sa folie des grandeurs concrétisée ; il semble un peu surpris lui-même par la rapidité de son « ascension sociale », comme en témoignent ses interrogations béates ; il erre désormais, seul, dans le labyrinthe de son extravagance et de sa crédulité.

• Dorante

Il apparaît un peu plus sympathique en acceptant de soutenir l'entreprise de Covielle, mais toujours très conscient de son intérêt.

L'écriture

La comédie tourne à la farce, grâce aux travestissements de Covielle et de Cléonte. Cette bouffonnerie atteint son paroxysme au cours de la cérémonie turque, grand moment de divertissement et de réjouissance.*

Molière utilise ici le procédé du « théâtre dans le théâtre » : certains personnages jouent, ouvertement ou à l'insu d'autres personnages, des rôles ; sous les yeux du spectateur, Covielle et Cléonte jouent à être respectivement l'interprète du fils du Grand Turc et le fils du Grand Turc en personne. C'est une comédie dans la comédie.

Bourgeois Gentilhomme, Comédie.
Cérémonie Turque.

ACTE V

SCÈNE PREMIÈRE. MME JOURDAIN, M. JOURDAIN

MME JOURDAIN. Ah mon Dieu ! miséricorde ! Qu'est-ce que c'est donc que cela ? Quelle figure• ! Est-ce un momon[1] que vous allez porter ; et est-il temps d'aller en masque ? Parlez donc, qu'est-ce que c'est que ceci ? Qui
5 vous a fagoté comme cela ?

M. JOURDAIN. Voyez l'impertinente, de parler de la sorte à un *Mamamouchi !*

MME JOURDAIN. Comment donc ?

M. JOURDAIN. Oui, il me faut porter du respect mainte-
10 nant, et l'on vient de me faire *Mamamouchi*.

MME JOURDAIN. Que voulez-vous dire avec votre *Mamamouchi ?*

M. JOURDAIN. *Mamamouchi*, vous dis-je. Je suis *Mamamouchi*.

15 MME JOURDAIN. Quelle bête est-ce là ?

M. JOURDAIN. *Mamamouchi*, c'est-à-dire, en notre langue, paladin.

MME JOURDAIN. Baladin[2] ! Êtes-vous en âge de danser des ballets ?

20 M. JOURDAIN. Quelle ignorante ! Je dis paladin : c'est une dignité dont on vient de me faire la cérémonie.

MME JOURDAIN. Quelle cérémonie donc ?

M. JOURDAIN. *Mahameta per Iordina.*

MME JOURDAIN. Qu'est-ce que cela veut dire ?

25 M. JOURDAIN. *Iordina*, c'est-à-dire Jourdain.

---

1. *momon* : pendant le carnaval, défi que se portent au jeu des personnages masqués.
2. *baladin* : danseur ordinaire de ballet.

MME JOURDAIN. Hé bien ! quoi, Jourdain ?

M. JOURDAIN. *Voler far un Paladina de Iordina.*

MME JOURDAIN. Comment ?

M. JOURDAIN. *Dar turbanta con galera.*

30 MME JOURDAIN. Qu'est-ce à dire cela ?

M. JOURDAIN. *Per deffender Palestina.*

MME JOURDAIN. Que voulez-vous donc dire ?

M. JOURDAIN. *Dara dara bastonara.*

MME JOURDAIN. Qu'est-ce donc que ce jargon-là ?

35 M. JOURDAIN. *Non tener honta : questa star l'ultima affronta.*

MME JOURDAIN. Qu'est-ce que c'est donc que tout cela ?

M. JOURDAIN *danse et chante.* *Hou la ba, ba la chou, ba*
40 *la ba, ba la da.*

MME JOURDAIN. Hélas, mon Dieu ! mon mari est devenu fou.

M. JOURDAIN, *sortant.* Paix ! insolente, portez respect à monsieur le *Mamamouchi.*

45 MME JOURDAIN. Où est-ce qu'il a donc perdu l'esprit ? Courons l'empêcher de sortir. *(Apercevant Dorimène et Dorante.)* Ah, ah, voici justement le reste de notre écu[1]. Je ne vois que chagrin de tous les côtés. *(Elle sort.)*

---

1. *le reste de notre écu* : ce qui complète notre malheur.

Questions

Compréhension

1. *a) Mme Jourdain réapparaît sur scène. Quand l'avait-elle quittée ?*
b) A-t-elle donc toutes les informations pour comprendre l'accoutrement et le comportement de son mari ? Qu'ignore-t-elle exactement ?

2. *Pour quelles raisons M. Jourdain reprend-il des phrases de la cérémonie turque ?*

3. *Qu'est-ce qui rapproche cette scène de la scène 3 de acte III ?*

Écriture

4. *Par quels termes M. Jourdain apostrophe-t-il sa femme ? Qu'en pensez-vous ?*

5. *Montrez que la forme des phrases et, en conséquence, la ponctuation, sont révélatrices de l'incompréhension mutuelle des deux époux.*

Mme Jourdain : « Hélas, mon Dieu ! mon mari est devenu fou. » *(V, 1) Gravure.*

SCÈNE 2. DORANTE, DORIMÈNE

DORANTE. Oui, madame, vous verrez la plus plaisante chose qu'on puisse voir ; et je ne crois pas que dans tout le monde il soit possible de trouver encore un homme aussi fou que celui-là. Et puis, madame, il faut tâcher de
5 servir l'amour de Cléonte, et d'appuyer toute sa mascarade[1] : c'est un fort galant homme, et qui mérite que l'on s'intéresse pour lui[2].

DORIMÈNE. J'en fais beaucoup de cas, et il est digne d'une bonne fortune[3].

10 DORANTE. Outre cela, nous avons ici, madame, un ballet qui nous revient, que nous ne devons pas laisser perdre, et il faut bien voir si mon idée pourra réussir.

DORIMÈNE. J'ai vu là des apprêts magnifiques, et ce sont des choses, Dorante, que je ne puis plus souffrir.
15 Oui, je veux enfin vous empêcher vos profusions, et, pour rompre le cours à toutes les dépenses que je vous vois faire pour moi, j'ai résolu de me marier promptement avec vous : c'en est le vrai secret, et toutes ces choses finissent avec le mariage.

20 DORANTE. Ah ! madame, est-il possible que vous ayez pu prendre pour moi une si douce résolution ?

DORIMÈNE. Ce n'est que pour vous empêcher de vous ruiner ; et, sans cela, je vois bien qu'avant qu'il fût peu, vous n'auriez pas un sou.

25 DORANTE. Que j'ai d'obligation, madame, aux soins que vous avez de conserver mon bien ! Il est entièrement à vous, aussi bien que mon cœur, et vous en userez de la façon qu'il vous plaira.

DORIMÈNE. J'userai bien de tous les deux. Mais voici
30 votre homme ; la figure• en est admirable.

---

1. *mascarade* : travestissement.
2. *s'intéresse pour lui* : entre dans ses intérêts.
3. *bonne fortune* : bonheur.

SCÈNE 3. M. JOURDAIN, DORANTE, DORIMÈNE

DORANTE. Monsieur, nous venons rendre hommage, madame et moi, à votre nouvelle dignité, et nous réjouir avec vous du mariage que vous faites de votre fille avec le fils du Grand Turc.

M. JOURDAIN, *après avoir fait les révérences à la* 5 *turque.* Monsieur, je vous souhaite la force des serpents et la prudence des lions.

DORIMÈNE. J'ai été bien aise d'être des premières, monsieur, à venir vous féliciter du haut degré de gloire où vous êtes monté.

10 M. JOURDAIN. Madame, je vous souhaite toute l'année votre rosier fleuri ; je vous suis infiniment obligé de prendre part aux honneurs qui m'arrivent, et j'ai beaucoup de joie de vous voir revenue ici pour vous faire les très humbles excuses de l'extravagance de ma femme.

15 DORIMÈNE. Cela n'est rien, j'excuse en elle un pareil mouvement ; votre cœur lui doit être précieux, et il n'est pas étrange que la possession d'un homme comme vous puisse inspirer quelques alarmes.

M. JOURDAIN. La possession de mon cœur est une 20 chose qui vous est toute acquise.

DORANTE. Vous voyez, madame, que monsieur Jourdain n'est pas de ces gens que les prospérités aveuglent, et qu'il sait, dans sa gloire, connaître encore ses amis.

DORIMÈNE. C'est la marque d'une âme tout à fait géné-25 reuse.

DORANTE. Où est donc son Altesse Turque ? Nous voudrions bien, comme vos amis, lui rendre nos devoirs.

M. JOURDAIN. Le voilà qui vient, et j'ai envoyé quérir• ma fille pour lui donner la main[1].

---

1. *donner la main* : promettre le mariage.

SCÈNE 4. CLÉONTE, *habillé en Turc,* COVIELLE, *déguisé,* M. JOURDAIN, DORIMÈNE, DORANTE

DORANTE, *à Cléonte.* Monsieur, nous venons faire la révérence à Votre Altesse, comme amis de monsieur votre beau-père, et l'assurer avec respect de nos très humbles services.

M. JOURDAIN. Où est le truchement[1] pour lui dire qui vous êtes, et lui faire entendre ce que vous dites ? Vous verrez qu'il vous répondra, et il parle turc à merveille. Holà ! où diantre est-il allé ? *(À Cléonte.) Strouf, strif, strof, straf.* Monsieur est un *grande Segnore, grande Segnore, grande Segnore ;* et Madame une *granda Dama, granda Dama. Ahi,* lui, monsieur, lui *Mamamouchi* français, et madame *Mamamouchie* française : je ne puis pas parler plus clairement. Bon, voici l'interprète. Où allez-vous donc ? nous ne saurions rien dire sans vous. Dites-lui un peu que monsieur et madame sont des personnes de grande qualité[2], qui lui viennent faire la révérence, comme mes amis, et l'assurer de leurs services. Vous allez voir comme il va répondre.

COVIELLE. *Alabala crociam acci boram alabamen.*

CLÉONTE. *Catalequi tubal ourin soter amalouchan.*

M. JOURDAIN. Voyez-vous.

COVIELLE. Il dit que la pluie des prospérités arrose en tout temps le jardin de votre famille !

M. JOURDAIN. Je vous l'avais bien dit, qu'il parle turc.

DORANTE. Cela est admirable.

---

1. *truchement* : interprète.
2. *de grande qualité* : de haute noblesse.

Questions

Compréhension

1. *D'après le début de la scène 2, quelles sont les raisons pour lesquelles Dorimène a accepté de revenir dans la maison de M. Jourdain ?*

2. *a) En quoi la scène 2 fait-elle progresser l'intrigue* ?*
b) Dorante est-il parvenu à ses fins ?

3. *Quelles qualités le comportement de Dorimène révèle-t-il ?*

4. *Pensez-vous que M. Jourdain soit influençable ? Justifiez votre réponse.*

Écriture / Réécriture

5. *M. Jourdain se révèle toujours plus grotesque. Montrez-le en analysant en particulier dans la scène 3 sa première réplique* et dans la scène 4, ses essais pour parler la langue turque.*

6. *Expliquez l'humour contenu dans l'expression à double sens qu'emploie Dorimène à la scène 3 : « puisse inspirer quelques alarmes ».*

7. *a) Relevez les termes appartenant au champ lexical* de la flatterie dans les propos de Dorimène et de Dorante aux scènes 3 et 4.*
b) Qu'en concluez-vous ?

8. *Rédigez une courte lettre de félicitations à l'adresse de quelqu'un (ami, parent...) qui a obtenu un diplôme, une distinction, une qualification, un brevet (études, sport, musique...).*

Mise en scène

9. *Ajoutez des didascalies* aux répliques* de M. Jourdain pour accentuer le comique* (mimiques, gestes, déplacements sur la scène...).*

SCÈNE 5. LUCILE, M. JOURDAIN, DORANTE, DORIMÈNE, CLÉONTE, COVIELLE

M. JOURDAIN. Venez, ma fille, approchez-vous et venez donner votre main à monsieur, qui vous fait l'honneur de vous demander en mariage.

LUCILE. Comment, mon père, comme vous voilà fait!
5 est-ce une comédie que vous jouez?

M. JOURDAIN. Non, non, ce n'est pas une comédie, c'est une affaire sérieuse, et la plus pleine d'honneur pour vous qui se peut souhaiter. Voilà le mari que je vous donne.

10 LUCILE. À moi, mon père!

M. JOURDAIN. Oui, à vous : allons, touchez-lui dans la main, et rendez grâce au Ciel de votre bonheur.

LUCILE. Je ne veux point me marier.

M. JOURDAIN. Je le veux, moi qui suis votre père.

15 LUCILE. Je n'en ferai rien.

M. JOURDAIN. Ah! que de bruit! Allons, vous dis-je. Ça votre main.

LUCILE. Non, mon père, je vous l'ai dit, il n'est point de pouvoir qui me puisse obliger à prendre un autre
20 mari que Cléonte; je me résoudrai plutôt à toutes les extrémités, que de... *(Reconnaissant Cléonte.)* Il est vrai que vous êtes mon père, je vous dois entière obéissance, et c'est à vous à disposer de moi selon vos volontés.

M. JOURDAIN. Ah! je suis ravi de vous voir si prompte-
25 ment revenue dans votre devoir, et voilà qui me plaît, d'avoir une fille obéissante.

SCÈNE 6. MME JOURDAIN, M. JOURDAIN, CLÉONTE, LUCILE, DORANTE, DORIMÈNE, COVIELLE

MME JOURDAIN. Comment donc? qu'est-ce que c'est que ceci? On dit que vous voulez donner votre fille en mariage à un carême-prenant[1]?

M. JOURDAIN. Voulez-vous vous taire, impertinente?
5 Vous venez toujours mêler vos extravagances à toutes choses, et il n'y a pas moyen de vous apprendre à être raisonnable.

MME JOURDAIN. C'est vous qu'il n'y a pas moyen de rendre sage, et vous allez de folie en folie. Quel est
10 votre dessein, et que voulez-vous faire avec cet assemblage[2]?

M. JOURDAIN. Je veux marier notre fille avec le fils du Grand Turc.

MME JOURDAIN. Avec le fils du Grand Turc!

15 M. JOURDAIN. Oui, faites-lui faire vos compliments par le truchement que voilà.

MME JOURDAIN. Je n'ai que faire du truchement, et je lui dirai bien moi-même à son nez qu'il n'aura point ma fille.

20 M. JOURDAIN. Voulez-vous vous taire, encore une fois?

DORANTE. Comment, madame Jourdain, vous vous opposez à un bonheur comme celui-là? Vous refusez Son Altesse Turque pour gendre?

MME JOURDAIN. Mon Dieu, monsieur, mêlez-vous de
25 vos affaires.

DORIMÈNE. C'est une grande gloire, qui n'est pas à rejeter.

MME JOURDAIN. Madame, je vous prie aussi de ne vous point embarrasser de ce qui ne vous touche pas.

---

1. *carême-prenant* : Mardi-gras et, par extension, personne masquée pendant le carnaval; ici, personne ridiculement vêtue.
2. *assemblage* : mariage.

30 DORANTE. C'est l'amitié que nous avons pour vous qui nous fait intéresser dans vos avantages[1].

MME JOURDAIN. Je me passerai bien de votre amitié.

DORANTE. Voilà votre fille qui consent aux volontés de son père.

35 MME JOURDAIN. Ma fille consent à épouser un Turc ?

DORANTE. Sans doute.

MME JOURDAIN. Elle peut oublier Cléonte ?

DORANTE. Que ne fait-on pas pour être grand-dame ?

MME JOURDAIN. Je l'étranglerais de mes mains, si elle
40 avait fait un coup comme celui-là.

M. JOURDAIN. Voilà bien du caquet•. Je vous dis que ce mariage-là se fera.

MME JOURDAIN. Je vous dis, moi, qu'il ne se fera point.

M. JOURDAIN. Ah ! que de bruit !

45 LUCILE. Ma mère.

MME JOURDAIN. Allez, vous êtes une coquine.

M. JOURDAIN. Quoi ? vous la querellez de ce qu'elle m'obéit ?

MME JOURDAIN. Oui : elle est à moi aussi bien qu'à
50 vous.

COVIELLE. Madame.

MME JOURDAIN. Que me voulez-vous conter, vous ?

COVIELLE. Un mot.

MME JOURDAIN. Je n'ai que faire de votre mot.

55 COVIELLE, *à M. Jourdain.* Monsieur, si elle veut écouter une parole en particulier, je vous promets de la faire consentir à ce que vous voulez.

MME JOURDAIN. Je n'y consentirai point.

COVIELLE. Écoutez-moi seulement.

60 MME JOURDAIN. Non.

M. JOURDAIN. Écoutez-le.

---

1. *avantages* : intérêts.

MME JOURDAIN. Non, je ne veux pas écouter.

M. JOURDAIN. Il vous dira...

MME JOURDAIN. Je ne veux point qu'il me dise rien.

65 M. JOURDAIN. Voilà une grande obstination de femme ! Cela vous fera-t-il mal de l'entendre ?

COVIELLE. Ne faites que m'écouter ; vous ferez après ce qu'il vous plaira.

MME JOURDAIN. Hé bien ! quoi ?

70 COVIELLE, *à part.* Il y a une heure, madame, que nous vous faisons signe. Ne voyez-vous pas bien que tout ceci n'est fait que pour nous ajuster aux visions• de votre mari, que nous l'abusons sous ce déguisement, et que c'est Cléonte lui-même qui est le fils du Grand Turc ?

75 MME JOURDAIN. Ah ! ah !

COVIELLE. Et moi Covielle qui suis le truchement ?

MME JOURDAIN. Ah ! comme cela, je me rends.

COVIELLE. Ne faites pas semblant de rien[1].

MME JOURDAIN, *haut.* Oui, voilà qui est fait, je consens
80 au mariage.

M. JOURDAIN. Ah ! voilà tout le monde raisonnable. Vous ne vouliez pas l'écouter. Je savais bien qu'il vous expliquerait ce que c'est que le fils du Grand Turc.

MME JOURDAIN. Il me l'a expliqué comme il faut, et
85 j'en suis satisfaite. Envoyons quérir• un notaire.

DORANTE. C'est fort bien dit. Et afin, madame Jourdain, que vous puissiez avoir l'esprit tout à fait content, et que vous perdiez aujourd'hui toute la jalousie que vous pourriez avoir conçue de monsieur votre mari, c'est
90 que nous nous servirons du même notaire pour nous marier, madame et moi.

MME JOURDAIN. Je consens aussi à cela.

M. JOURDAIN, *bas, à Dorante.* C'est pour lui faire accroire[2] ?

---

1. *ne faites... rien* : faites comme si de rien n'était.
2. *faire accroire* : tromper.

95 DORANTE, *bas, à M. Jourdain.* Il faut bien l'amuser avec cette feinte.

M. JOURDAIN. Bon, bon. *(Haut.)* Qu'on aille vite quérir• le notaire.

DORANTE. Tandis qu'il viendra, et qu'il dressera les
100 contrats, voyons notre ballet, et donnons-en le divertissement à Son Altesse Turque.

M. JOURDAIN. C'est fort bien avisé : allons prendre nos places.

MME JOURDAIN. Et Nicole ?

105 M. JOURDAIN. Je la donne au truchement ; et ma femme à qui la voudra.

COVIELLE. Monsieur, je vous remercie. *(À part.)* Si l'on en peut voir un plus fou, je l'irai dire à Rome.

(La comédie finit par un petit ballet qui avait été préparé.)

M. *Jourdain* : « Je vous dis que ce mariage-là se fera. » (V, 6)

Questions

Compréhension

1. *À la scène 5, Lucile apparaît-elle aussi docile qu'auparavant ? Pourquoi ? Justifiez votre réponse en vous référant au texte.*

2. *Pourquoi change-t-elle d'avis subitement ?*

3. *a) M. Jourdain s'étonne-t-il du brusque revirement de sa fille ?*
b) Cette situation est-elle vraisemblable ?
c) Qu'en déduire sur le caractère de M. Jourdain et sur le genre de la pièce ?

4. *Étudiez la composition* de la scène 6.*

5. *Le dénouement**
a) Tout le monde semble être heureux à la fin de la scène 6 ; expliquez, en quelques phrases, les raisons du bonheur de chacun ?
b) Et pourtant, l'un des personnages n'a en réalité aucune raison de se réjouir. De qui s'agit-il et pourquoi ?

Écriture / Réécriture

6. *Analysez les réponses de Lucile dans la première partie de la scène 5.*
a) Quelles tournures de phrases sont le plus souvent employées ?
b) De quelles qualités fait-elle preuve ?

7. *a) Montrez les similitudes dans la construction des scènes 5 et 6.*
b) Montrez également que les procédés comiques sont amplifiés dans la scène 6.*

8. *Relevez dans le langage et l'attitude de Mme Jourdain ce qui témoigne qu'elle ne veut faire aucune concession et se refuse à entrer dans le jeu de son mari.*

9. *Imaginez ce que pourrait être la suite de la pièce : M. Jourdain s'aperçoit qu'il a été berné par tout le monde. Quelle peut être sa réaction ? Et celle des autres personnages ?*

10. *Le moment est venu de dresser le bilan de la pièce. En une page, expliquez quelles étaient les intentions de Molière en écrivant cette pièce.*

Mise en scène

11. *Quels jeux de lumière utiliseriez-vous pour mettre en valeur les différentes phases de ce dénouement* ?*

12. *Comparez ce dénouement* à ceux d'autres pièces de Molière que vous connaissez* (Les Fourberies de Scapin, L'Avare, Le Médecin malgré lui, Le Malade Imaginaire). *Quels personnages sont en scène ? Sous quelle identité ? Ont-ils tous les mêmes informations ?*

ACTE V, SCÈNE I.

M. JOURDAIN. *Mamamouchi*, vous dis-je. Je suis *mamamouchi*.

Bilan

Structure

Il en est d'une pièce de théâtre comme d'un roman, c'est au dernier acte, comme dans les derniers chapitres que se résolvent les intrigues qui se sont nouées progressivement.*
Le spectateur, après avoir fait connaissance avec les personnages et compris leurs rapports (l'exposition), assisté aux intrigues* qui les opposaient ou les liaient entre eux (le nœud*), voit se résoudre sur scène les conflits (le dénouement*).*
Traditionnellement, la comédie s'achève de façon heureuse.
Toutes les questions que vous vous êtes posées au cours des actes précédents ont trouvé des réponses et vous devez maintenant être capables de dresser vous-même le bilan de l'acte V et de la pièce ; pour vous en assurer, répondez aux questions suivantes.

L'action

– Comment les deux intrigues se sont-elles résolues ? Grâce à qui ?*
– De qui M. Jourdain est-il la dupe à la fin de la pièce ?
– Quels personnages ont été trompés, dans quels domaines et à quel degré ?

Les personnages

Sur le schéma ci-dessous figurent quelques données, à titre d'exemple. Complétez-le en faisant apparaître :
À côté du nom de chaque personnage, ses principaux traits de caractère.
D'une personne à l'autre, des flèches matérialisant :
– par une flèche simple, les liens familiaux et professionnels : père, fille, servante...
– par une double flèche, les sentiments : amour, honte, mépris, amitié...
– par une flèche en pointillé, l'intérêt : financier, social...
Attention !
Les relations ne sont pas souvent réciproques
Faites un schéma assez grand par souci de clarté et utilisez si vous le désirez de la couleur.
Allez à l'essentiel ; triez les informations ; omettez ce qui surchargerait le schéma. Tirez de ce schéma des conclusions sur le personnage de M. Jourdain en particulier et rédigez un paragraphe pour en rendre compte.

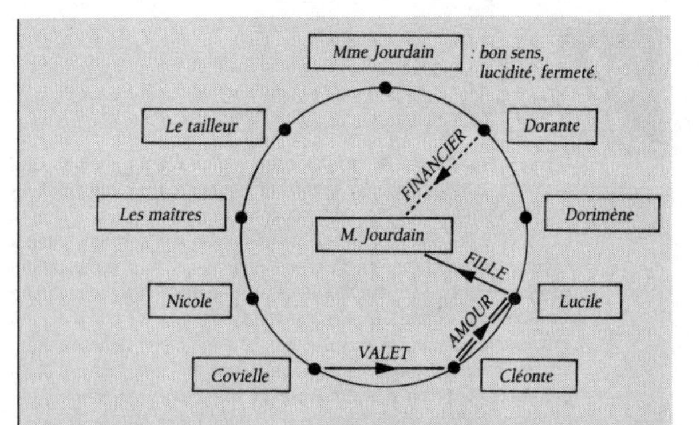

L'écriture

Vous avez découvert quelles étaient les caractéristiques d'une comédie-ballet.
– Dressez la liste des passages qui font de cette comédie une « comédie-ballet ».
– Recensez les divers procédés comiques utilisés par Molière et illustrez-les en empruntant des exemples aux cinq actes.*
– Vous avez constaté que la comédie évolue peu à peu vers la farce. Récapitulez les éléments qui rendent compte de cette évolution.
NB : Utilisez autant que cela vous est possible le vocabulaire théâtral avec lequel vous vous êtes familiarisés.

Les dossiers

Vous avez constitué deux dossiers qui pourront être l'occasion d'une petite exposition :
– La représentation du Bourgeois Gentilhomme *en 1670.*
– M. Jourdain à la fin du XXe siècle.

Mémorisation

Vous avez probablement appris et joué certaines scènes.
Voici quelques citations, restées célèbres, qui sont extraites du Bourgeois gentilhomme . *Choisissez-en dix et apprenez-les.*

- *« Mais cet encens ne fait pas vivre ; des louanges toutes pures ne mettent point un homme à son aise : il y faut mêler du solide. » (I, 1)*
- *« Donnez-moi ma robe pour mieux entendre... » (I, 2)*
- *« Est-ce que les gens de qualité apprennent aussi la musique ?*
– Oui, Monsieur.
– Je l'apprendrai donc. » (I, 2)
- *« Je vous l'ai déjà dit, tout le secret des autres ne consiste qu'en deux choses, à donner et à ne point recevoir. » (II, 2)*
- *« Et ce qui nous distingue parfaitement les uns des autres, c'est la sagesse et la vertu. » (II, 3)*
- *« Tout ce qui n'est point prose est vers ; et tout ce qui n'est point vers est prose. » (II, 4)*
- *« Par ma foi ! il y a plus de quarante ans que je dis de la prose sans que j'en susse rien, et je vous suis le plus obligé du monde de m'avoir appris cela. » (II, 4)*
- *« Belle marquise, vos beaux yeux me font mourir d'amour. » (II, 4)*
- *« Vous parlez toutes deux comme des bêtes, et j'ai honte de votre ignorance. » (II, 3)*
- *« Vous êtes fou, mon mari, avec toutes vos fantaisies, et cela vous est venu depuis que vous vous mêlez de hanter la noblesse. » (III, 3)*
- *« Je suis deux jours sans la voir, qui sont pour moi des siècles effroyables. » (III, 9)*
- *« Tout sied bien aux belles, on souffre tout des belles. » (III, 9)*
- *« Que facilement on se laisse persuader aux personnes qu'on aime. » (III, 10)*
- *« Il y a de la lâcheté à déguiser ce que le Ciel nous a fait naître, à se parer aux yeux du monde d'un titre dérobé, à se vouloir donner pour ce qu'on n'est pas. » (III, 11)*
- *« Vous n'êtes point gentilhomme, vous n'aurez pas ma fille. » (III, 12)*
- *« Les alliances avec plus grand que soi sont sujettes toujours à de fâcheux inconvénients. » (III, 12)*
- *« Ma fille sera marquise en dépit de tout le monde ; et si vous me mettez en colère, je la ferai duchesse. » (III, 12)*
- *Que le Ciel vous donne la force des lions et la prudence des serpents. » (IV, 4)*
- *« Si l'on en peut voir un plus fou, je l'irai dire à Rome. » (V, 6)*

BALLET DES NATIONS

PREMIÈRE ENTRÉE

Un homme vient donner les livres du ballet[1], qui[2] d'abord est fatigué[3] par une multitude de gens de provinces différentes, qui crient en musique pour en avoir, et par trois importuns, qu'il trouve toujours sur ses pas.

DIALOGUE DES GENS

qui en musique demandent des livres

TOUS

À moi, Monsieur, à moi de grâce, à moi, Monsieur :
Un livre, s'il vous plaît, à votre serviteur.

HOMME DU BEL AIR[4]

Monsieur, distinguez-nous parmi les gens qui crient.
Quelques livres ici, les Dames vous en prient.

AUTRE HOMME DU BEL AIR

5 *Holà ! Monsieur, Monsieur, ayez la charité*
D'en jeter de notre côté.

FEMME DU BEL AIR

Mon Dieu ! qu'aux personnes bien faites[5]
On sait peu rendre honneur céans•.

AUTRE FEMME DU BEL AIR

Ils n'ont des livres et des bancs
10 *Que pour Mesdames les grisettes*[6].

TEXTE	TRADUCTION
GASCON	
Aho ! l'homme aux libres, [qu'on m'en vaille[7] *!*	Hé ! l'homme aux livres, qu'on [m'en baille !

1. *livres du ballet* : programmes.
2. *qui* : l'homme.
3. *fatigué* : importuné.
4. *du bel air* : aux manières raffinées.
5. *bien faites* : distinguées.
6. *grisettes* : femmes coquettes de condition modeste.
7. *vaille* : le « v » remplace le « b » dans le langage gascon parodié par Molière.

	J'ai déjà lé poumon usé.	J'ai déjà le poumon usé.
	Bous boyez qué chacun mé [raille;	Vous voyez que chacun me [raille;
	Et jé suis scandalisé	Et je suis scandalisé
15	*De boir és mains dé la [canaille*	De voir dans les mains de la [canaille
	Cé qui m'est par bous refusé.	Ce qui m'est par vous refusé.
	AUTRE GASCON	
	Eh cadédis! Monseu, boyez [qui l'on pût estre :	Eh par la tête de Dieu! Monsieur, [voyez qui l'on peut bien être :
	Un libret, je bous prie, au [varon d'Asbarat.	Un livret, je vous prie, au [baron d'Asvarat.
	Jé pense, mordy, qué lé fat	Je pense, mordieu, que le fat
20	*N'a pas l'honnur dé mé [connoistre*	N'a pas l'honneur de me [connaître.
	LE SUISSE	
	Mon'-sieur le donneur de [papieir,	Monsieur le donneur de [papier,
	Que veul dir sty façon de [fifre?	Que veut dire cette façon de [vivre?
	Moy l'écorchair tout mon [gosieir	Moi, j'écorche tout mon [gosier
	A crieir,	À crier,
25	*Sans que je pouvre afoir ein [lifre :*	Sans que je puisse avoir un [livre :
	Pardy, mon foy! Mon'-sieur, [je pense fous l'estre ifre	Pardieu, ma foi! Monsieur, je [pense que vous êtes ivre.

VIEUX BOURGEOIS BABILLARD

De tout ceci, franc et net,
Je suis mal satisfait.
Et cela sans doute est laid,
30 *Que notre fille,*
Si bien faite et si gentille,
De tant d'amoureux l'objet,
N'ait pas à son souhait
Un livre de ballet,
35 *Pour lire le sujet*
Du divertissement qu'on fait,
Et que toute notre famille
Si proprement s'habille,
Pour être placée au sommet
40 *De la salle, où l'on met*
Les gens de Lantriguet[1] *:*

1. *Lantriguet* : nom breton de Tréguier.

De tout ceci, franc et net,
Je suis mal satisfait,
Et cela sans doute est laid.

VIEILLE BOURGEOISE BABILLARDE

45 *Il est vrai que c'est une honte,*
Le sang au visage me monte,
Et ce jeteur de vers qui manque au capital[1]
L'entend fort mal;
C'est un brutal,
50 *Un vrai cheval,*
Franc animal,
De faire si peu de compte
D'une fille qui fait l'ornement principal
Du quartier du Palais-Royal,
55 *Et que ces jours passés un comte*
Fut prendre la première au bal.
Il l'entend mal;
C'est un brutal,
Un vrai cheval,
60 *Franc animal.*

HOMMES ET FEMMES DU BEL AIR

Ah! quel bruit!
Quel fracas!
Quel chaos!
Quel mélange!
Quelle confusion!
Quelle cohue étrange!
Quel désordre!
Quel embarras!
On y sèche.
L'on n'y tient pas.

TEXTE	TRADUCTION
GASCON	
65 *Bentre! jé suis à vout.*	Ventre! je suis à bout.
AUTRE GASCON	
J'enrage, Diou mé damme!	J'enrage, Dieu me damme!
SUISSE	
Ah que ly faire saif dans sty [sal de cians!	Ah! qu'il fait soif dans cette [salle de céans!
GASCON	
Jé murs.	Je meurs.

1. *au capital* : à l'essentiel.

AUTRE GASCON	
Jé perds la tramontane[1].	Je perds la tramontane.
SUISSE	
70 *Mon foy! moy le foudrois estre [hors de dedans.*	Ma foi! Moi, je voudrais être [dehors.

VIEUX BOURGEOIS BABILLARD

Allons, ma mie,
Suivez mes pas,
Je vous en prie,
Et ne me quittez pas :
75 *On fait de nous trop peu de cas,*
Et je suis las
De ce tracas :
Tout ce fatras,
Cet embarras
80 *Me pèse par trop sur les bras,*
S'il me prend jamais envie
De retourner de ma vie
À ballet ni comédie,
Je veux bien qu'on m'estropie.
85 *Allons, ma mie,*
Suivez mes pas,
Je vous en prie,
Et ne me quittez pas :
On fait de nous trop peu de cas.

VIEILLE BOURGEOISE BABILLARDE

90 *Allons, mon mignon, mon fils*[2],
Regagnons notre logis,
Et sortons de ce taudis,
Où l'on ne peut être assis :
Ils seront bien ébaubis[3]
95 *Quand ils nous verront partis.*
Trop de confusion règne dans cette salle,
Et j'aimerais mieux être au milieu de la Halle.
Si jamais je reviens à semblable régale,
Je veux bien recevoir des soufflets plus de six.
100 *Allons, mon mignon, mon fils,*

1. *tramontane* : étoile Polaire, qui jadis servait seule de guide aux navigateurs.
2. *mon fils* : terme d'amitié de la femme à son mari.
3. *ébaubis* : très surpris.

Regagnons notre logis,
Et sortons de ce taudis,
Où l'on ne peut être assis.

TOUS

À moi, Monsieur, à moi de grâce, à moi, Monsieur :
105 *Un livre s'il vous plaît, à votre serviteur.*

Raimu dans le rôle de M. Jourdain.

SECONDE ENTRÉE

Les trois importuns dansent

TROISIÈME ENTRÉE

TROIS MUSICIENS ESPAGNOLS

	TEXTE	TRADUCTION
	Sé que me muero de amor,	Je sais que je me meurs [d'amour,
	Y solicito el dolor.	Et je recherche la douleur.
	Aun muriendo de querer,	Quoique mourant de désir,
	De tan buen ayre adolezco,	Je dépéris de si bon air,
110	*Que es màs de lo que padezco*	Que ce que je désire souffrir
	Lo que quiero padecer,	Est plus que ce que je souffre,
	Y no pudiendo exceder	Et la rigueur de mon mal
	A mi deseo el rigor.	Ne peut excéder mon désir.
	Sé que me muero de amor,	Je sais que je meurs d'amour,
115	*Y solicito el dolor.*	Et je recherche la douleur.
	Lisonxèame la suerte	Le sort me flatte
	Con piedad tan advertida,	Avec une pitié si attentive,
	Que me asegura la vida	Qu'il m'assure la vie
	En el riesgo de la muerte.	Dans le danger de la mort.
120	*Vivir de su golpe fuerte*	Vivre d'un coup si fort
	Es de mi salud primor.	Est le prodige de mon salut.
	Sé que, etc.	Je sais, etc.
		(Six Espagnols dansent.)

TROIS ESPAGNOLS chantent

	¡Ay! qué locura, con tanto [rigor	Ah! quelle folie, de se [plaindre
	Quexarse de Amor,	De l'Amour avec tant de [rigueur,
125	*Del niño bonito*	De l'enfant gentil
	Que todo es dulçura!	Qui est la douceur même!
	¡Ay! qué locura!	Ah! quelle folie!
	¡Ay! qué locura!	Ah! quelle folie!

ESPAGNOLS chantant

	El dolor solicita	La douleur tourmente
130	*El que al dolor se da;*	Celui qui s'abandonne à la [douleur;
	Y nadie de amor muere,	Et personne ne meurt [d'amour,
	Sino quien no save amar.	Si ce n'est celui qui ne sait pas [aimer.

DEUX ESPAGNOLS

	Dulce muerte es el amor	L'amour est une douce mort
	Con correspondencia ygual;	Quand on est payé de retour;
135	*Y si ésta gozamos oy,*	Et si nous en jouissons au-[jourd'hui,
	Porque la quieres turbar?	Pourquoi la veux-tu [troubler?

UN ESPAGNOL

	Alégrese enamorado,	Que l'amant se réjouisse,
	Y tome mi parecer;	Et adopte mon avis;
	Que en esto de querer,	Car, lorsqu'on désire,
140	*Todo es hallar el vado.*	Tout est de trouver le moyen.

TOUS TROIS ensemble

¡Vaya, vaya de fiestas!	Allons, allons, des fêtes!
¡Vaya de vayle!	Allons, de la danse!
Alegria, alegria, alegria!	Gai, gai, gai!
Que esto de dolor es fantasia.	La douleur n'est qu'une [fantaisie.

Homme et femme, vêtus de costumes à la mode de l'année 1671. Gravure.

QUATRIÈME ENTRÉE

ITALIENS

UNE MUSICIENNE ITALIENNE
fait le premier récit, dont voici les paroles :

	TEXTE	TRADUCTION
145	*Di rigori armata il seno,*	Ayant armé mon sein de [rigueurs,
	Contro amor mi ribellai;	Je me révoltai contre l'amour;
	Ma fui vinta in un baleno	Mais je fus vaincue en un [éclair
	In mirar duo vaghi rai;	En regardant deux beaux yeux;
	Ahi! che resiste puoco	Ah! qu'un cœur de glace
150	*Cor di gelo a stral di fuoco!*	Résiste peu à une flèche de feu!
	Ma sì càro è'l mio tormento,	Cependant mon tourment [m'est si cher,
	Dolce è si la piaga mia,	Et ma plaie est si douce,
	ch'il penare è'l mio contento,	Que ma peine fait mon [bonheur,
	E'l sanarmi è tirannia,	Et que me guérir serait une [tyrannie.
155	*Ahi! che più giova e piace,*	Ah! plus l'amour est vif,
	Quanto amor è piu vivace!	Plus il a de charmes et cause [de plaisir!

Après l'air que la Musicienne a chanté, deux Scaramouches[1], deux Trivelins[2], et un Arlequin[3] représentent une nuit à la manière des comédiens italiens, en cadence.

(Un musicien italien se joint à la musicienne italienne, et chante avec elle les paroles qui suivent :)

---

1. *Scaramouche* : personnage bouffon de l'ancienne comédie italienne, habillé de noir de la tête aux pieds.
2. *Trivelin* : valet de la comédie italienne.
3. *Arlequin* : personnage bouffon de la comédie italienne vêtu d'un costume de toutes les couleurs.

LE MUSICIEN ITALIEN

Bel tempo che vola	Le beau temps qui s'envole
Rapisce il contento;	Emporte le plaisir;
D'Amor nella scola	À l'école d'Amour
160 *Si coglie il momento.*	On cueille le moment.

LA MUSICIENNE

Insin che florida	Tant que l'âge en fleur
Ride l'età,	Nous rit,
Che pur tropp' orrida	L'âge qui trop
Bis	[promptement, hélas!
Da noi s'en và,	S'éloigne de nous,

TOUS DEUX

165 *Sù cantiamo,*	Chantons,
Sù godiamo	Jouissons
Ne' bei dì di gioventù :	Dans les beaux jours de la [jeunesse :
Perduto ben non si racquista [più.	Un bien perdu ne se [recouvre plus.

MUSICIEN

Pupilla che vaga	Un œil dont la beauté
170 *Mill' alme incatena*	Enchaîne mille cœur
Fà dolce la piaga,	Fait douce la plaie,
Felice la pena.	Le mal qu'il cause est un [bonheur.

MUSICIENNE

Ma poiche frigida	Mais quand languit
Langue l'età,	L'âge glacé,
175 *Più l'alma rigida*	L'âme engourdie
Bis	
Fiamme non ha.	N'a plus de feu.

TOUS DEUX

Sù cantiamo, etc.	Chantons, etc.

(Après le dialogue italien, les Scaramouches et Trivelins dansent une réjouissance.)

CINQUIÈME ENTRÉE

FRANÇAIS

PREMIER MENUET

deux musiciens poitevins
dansent, et chantent les paroles qui suivent :

Ah ! qu'il fait beau dans ces bocages !
Ah ! que le ciel donne un beau jour !

AUTRE MUSICIEN

180 *Le rossignol, sous ces tendres feuillages,*
Chante aux échos son doux retour :
Ce beau séjour,
Ces doux ramages,
Ce beau séjour
185 *Ce beau séjour*
Nous invite à l'amour.

SECOND MENUET

TOUS DEUX ENSEMBLE

Vois, ma Climène,
Vois sous ce chêne
S'entre-baiser ces oiseaux amoureux ;
190 *Ils n'ont rien dans leurs vœux*
Qui les gêne ;
De leurs doux feux
Leur âme est pleine.
Qu'ils sont heureux !
195 *Nous pouvons tous deux,*
Si tu le veux,
Être comme eux.

(Six autres Français viennent après, vêtus galamment à la poitevine, trois en hommes et trois en femmes, accompagnés de huit flûtes et de hautbois, et dansent les menuets.)

SIXIÈME ENTRÉE

(Tout cela finit par le mélange des trois nations[1], et les applaudissements en danse et en musique de toute l'assistance, qui chante les deux vers qui suivent :)

Quels spectacles charmants, quels plaisirs goûtons-nous !
Les dieux mêmes, les dieux n'en ont point de plus doux.

Mme Molière, née Armande Béjart, dans le rôle d'Elmire du Tartuffe. *Lithographie de Lecomte, imprimé par Delpech. B.N.*

1. *trois nations* : les Espagnols de la IIIe entrée, les Italiens de la IVe et les Français de la Ve.

Questions

Compréhension

1. *Justifiez le titre de ce ballet.*

2. *Quels en sont les thèmes principaux ?*

3. *Quelle conception de l'amour est ici mise en valeur ?*

4. Le Bourgeois Gentilhomme *est une « comédie-ballet » : récapitulez les différentes interventions de musique et de danse tout au long de la pièce.*

Écriture

5. *De nos jours, la comédie musicale reprend beaucoup d'éléments caractéristiques des ballets d'autrefois.*
a) Recherchez la définition d'une « comédie musicale ».
b) Donnez le titre de différentes comédies musicales que vous avez vues.
c) Choisissez-en une en particulier et présentez-la à la classe selon le schéma suivant :
- *Le cadre de l'histoire : le lieu, l'époque.*
- *Les personnages.*
- *L'intrigue* elle-même.*
- *L'importance et le rôle de la musique et de la danse.*

Dans la mesure du possible, présentez des documents visuels et sonores (cassette vidéo, photos, cassette audio...).
Vous terminerez votre exposé en comparant le Bourgeois Gentilhomme *à la comédie musicale que vous aurez choisie.*

	ÉVÉNEMENTS HISTORIQUES	VIE ET ŒUVRE DE MOLIÈRE
1622	Louis XIII roi	Naissance de Jean-Baptiste Poquelin, fils d'un tapissier du roi
1624	Richelieu Premier ministre	
1635	Début de la guerre de Trente Ans	Études chez les Jésuites au Collège de Clermont (jusqu'en 1639)
1638	Naissance de Louis XIV	
1642	Mort de Richelieu	Licence en Droit
1643	Mort de Louis XIII Régence d'Anne d'Autriche Ministère Mazarin	Fondation de l'Illustre-Théâtre avec la famille Béjart
1644		Il prend le pseudonyme de Molière et devient directeur de la troupe
1645		Prison pour dettes
1648	La Fronde (→ 1653)	Molière parcourt la France avec sa troupe (1645 à 1658)
1659	Traité des Pyrénées	*Les Précieuses Ridicules*
1660	Mariage de Louis XIV et de Marie-Thérèse d'Espagne	
1661	Majorité de Louis XIV	
1662		Mariage avec Armande Béjart *L'École des Femmes*
1664		*Le Tartuffe.* Interdiction de représentation
1665	Colbert ministre des Finances	*Dom Juan.* Arrêt des représentations
1666		*Le Misanthrope* (échec) et *Le Médecin malgré lui* (succès)
1668	Traité d'Aix-La-Chapelle	*Amphitryon - L'Avare*
1670		*Le Bourgeois gentilhomme*
1671		*Les Fourberies de Scapin*
1672	La cour s'installe à Versailles	*Les Femmes savantes*
1673		*Le Malade imaginaire* Mort de Molière le 17 février

ÉVÉNEMENTS LITTÉRAIRES	VIE CULTURELLE	
Naissance de La Fontaine		1621
Naissance de Pascal		1623
	Galilée abjure	1633
	Fondation de l'Académie française par Richelieu	1635
Le Cid de Corneille		1636
Le Discours de la Méthode de Descartes		1637
Naissance de Racine		1639
Le Menteur de Corneille *Polyeucte* de Corneille		1643
Naissance de La Bruyère		1645
Les Provinciales de Pascal		1656
	Mignard : portrait de Molière	1657
Mort de Pascal		1662
Les *Maximes* de La Rochefoucauld		1665
Les *Satires* de Boileau	Fondation de l'Académie des sciences par Colbert	1666
Andromaque de Racine		1667
1res *Fables* de La Fontaine		1668
Pensées de Pascal (posthumes)	Construction des Invalides	1670
Bajazet de Racine		1671
	Fin de la construction de Versailles	1672
Mithridate de Racine		1673

DES ARTS FLORISSANTS

L'Europe du XVIIe siècle est dominée par deux courants artistiques.

Le baroque

•

Il tire son nom du mot «barroco» qui signifie en portugais «une perle de forme irrégulière». Art du spectacle, art choc, il est conçu au départ pour toucher la sensibilité des fidèles catholiques et les retenir au sein de l'Église. Cet art de l'exubérance se plaît à peindre des scènes grandioses et pathétiques, affectionne les formes irrégulières et les surcharges décoratives. Venu d'Italie, il se développe essentiellement aux Pays-Bas espagnols, en Bavière et en Autriche, au travers d'œuvres d'artistes comme Rubens ou le Bernin. En France, c'est surtout en musique, avec Lully par exemple, que le baroque se manifeste. En effet, la thématique et l'expression baroques ne correspondent pas à l'idéal de Louis XIV qui veut, lui, imposer le classicisme en France.

Le classicisme

•

L'origine du mot est latine et signifie «ce qui mérite d'être enseigné, pris comme modèle». Aux antipodes du baroque, le classicisme prône des idées d'ordre, de régularité et de sobriété. Louis XIV trouve dans cet idéal de discipline et d'harmonie la majesté qui convient à la puissance monarchique qu'il entend voir respecter. Le développement de cet art correspond donc fondamentalement à la volonté d'un homme et s'inscrit dans un idéal politique de grande envergure. C'est d'ailleurs essentiellement en France que le classicisme triomphera.
Si les Académies d'art existent déjà au moment où débute le règne de Louis XIV, celui-ci renforce leur rôle, entendant ainsi codifier les arts. Rappelons que l'Académie française a été fondée en 1635 et celle de peinture et de sculpture en 1648; le Roi-Soleil réorganise cette dernière en 1663. Ces académies se développent autour des principes communs pour mettre en place un style strictement français.
Depuis 1661, Louis XIV verse aux artistes, aux savants, aux écrivains, des pensions conséquentes, devenant le grand mécène du XVIIe siècle. L'élite créatrice est désormais très dépendante du pouvoir royal. Ce dernier peut ainsi «contrôler» étroitement l'art qui représente un moyen parmi d'autres de

glorifier le roi. La flagornerie la plus éhontée est souvent récompensée.

Les arts plastiques

Le roi réunit de véritables équipes d'artistes pour édifier des châteaux aux cadres somptueux pour une cour itinérante. Architectes, décorateurs, sculpteurs, paysagistes, peintres aux noms célèbres tels Le Vau, Hardouin-Mansart, le Brun, Girardon, Le Nôtre, Poussin, La Tour, conjuguent leurs talents, maîtrisant les matériaux et la nature elle-même (jardins à la française). De ces grands chantiers naîtront le château de Marly-le-Roi, détruit sous la Révolution, et bien sûr celui de Versailles qui reste le joyau du règne de Louis XIV. C'est dans ce somptueux décor que la Cour s'installe définitivement à partir de 1682. Mais dès 1664, le roi donne des réceptions et Molière lui-même, en 1663, est saisi par la majesté du lieu, comme il l'exprime dans *l'Impromptu de Versailles*. D'autres monuments s'élèvent à Paris, tels la colonnade du Louvre, la place Vendôme, l'Hôtel des Invalides. Ils servent de modèles aux constructions des villes de province. Symétrie, rigueur, majesté, ordre, équilibre sont les caractéristiques des édifices nés ainsi sous l'impulsion du roi. Ces mêmes principes se retrouvent dans les lettres.

Les lettres

Bien que le français soit la langue officielle des édits et des lois depuis 1539, au début du XVIIe siècle il est moins parlé que les langues régionales et moins écrit que le latin. Peu à peu, il commence à s'imposer dans la France tout entière et surtout se codifie grâce à des hommes de lettres tels Malherbe, Boileau, Vaugelas ou Bayle, qui suivent les principes établis par l'Académie française. Le français devient la langue des Cours et des élites européennes. Les genres littéraires sont bien établis et l'on distingue poésie, roman, lettres, sermons et théâtre. C'est ce dernier qui a la préférence de la Cour, en devient le spectacle favori et prend un essor qu'il n'avait jamais connu jusque-là et ne retrouvera plus.

L'on peut dire que le XVIIe siècle est celui du théâtre florissant. Essayons de comprendre l'évolution de ce genre littéraire à l'époque de Molière.

LE THÉÂTRE AU XVIIe siècle

Pour bien saisir l'importance du théâtre au XVIIe siècle, l'on peut se risquer à une comparaison et dire que le théâtre est au XVIIe ce que le cinéma est au XXe : un mode d'expression

artistique qui se développe, se diversifie et s'attire progressivement la faveur de tous les publics, phénomène à la fois littéraire et social.
L'expression théâtrale, très prisée et déjà très achevée dès l'Antiquité, s'est réduite en France jusqu'à la fin du XVIe siècle aux spectacles de qualité contestable et d'inspiration assez limitée que sont mystères, pastorales, farces ou tragi-comédies. Au XVIIe siècle, le théâtre se codifie et, sous le mécénat de Richelieu, Louis XIII et Louis XIV, connaît son apogée grâce au génie de dramaturges* comme Molière, Corneille ou Racine, pour ne citer qu'eux. Ces écrivains sont à l'origine de la consécration de l'art dramatique, adapté au goût d'une époque. Cette évolution engendre de profondes modifications dans les structures du monde théâtral, qu'il s'agisse du statut du comédien, de l'organisation des troupes, des salles elles-mêmes et bien sûr de l'accueil du public.

Le statut des comédiens

•

Une vie difficile...

La particularité du statut social du comédien au XVIIe ne peut se comprendre qu'en ayant à l'esprit le poids social de l'Église et l'imbrication entre pouvoir politique et pouvoir religieux. Exercer le métier de comédien est considéré comme une offense à la bonne moralité et l'Église, très puissante, va jusqu'à excommunier les comédiens, jugés immoraux. Ils sont privés de sépulture chrétienne, sauf ceux qui abjurent leur profession, quitte à ce que ce soit au moment de leur dernier soupir, en disant devant un prêtre : «Je promets à Dieu de tout mon cœur, avec une pleine liberté d'esprit, de ne plus jouer la comédie le reste de ma vie, et quand même il plairait à son infinie bonté de me rendre la santé». Madeleine Béjart prononça cette formule; Molière, lui, n'en eut pas le temps. Ce n'est qu'au prix d'une grande ténacité que sa femme obtiendra qu'il soit enterré de façon chrétienne, mais de nuit, presque clandestinement et au cimetière Saint-Joseph, réservé aux suicidés et aux enfants non baptisés, comme en témoignent ces deux vers de Boileau : ...*«Avant qu'un peu de terre, obtenu par prière/Pour jamais sous la tombe eût enfermé Molière...»* (Épître VII).
Quand on sait le succès que connut Molière et la faveur que lui accordait le roi, on mesure le poids de la tradition de l'Église. C'est dire qu'en 1673, si la réhabilitation progressive des comédiens et, plus généralement, du théâtre, par et dans les milieux tant politiques que culturels, apaise l'hostilité de

l'Église, elle ne la vainc pourtant pas. Le comédien ne jouit pas d'une bonne réputation et, en dehors des soucis moraux auxquels il est confronté, il doit faire face le plus souvent à de sérieuses difficultés matérielles. La plupart des troupes sont itinérantes et les comédiens, mal payés, mal nourris, ont la vie dure.

... qui s'améliore lentement et inégalement.

Peu à peu, Louis XIII, puis Louis XIV aident financièrement les troupes. Les comédiens reçoivent une pension qui leur assure une vie matérielle décente. Mais ce traitement de faveur ne touche que peu les troupes de province, encore très défavorisées, alors que celles qui se produisent à Paris acquièrent progressivement considération, honneur et facilités financières. Cette disparité entre Paris et la province se retrouve plus largement dans l'organisation générale du théâtre.

Les troupes théâtrales et les salles

•

Les troupes de province

Elles sont itinérantes et sont appelées «bandes de campagne». Certaines sont assez bien organisées et à peu près assurées de jouer régulièrement, comme ce fut le cas pour celle de Molière l'«Illustre Théâtre», lorsqu'il parcourt la France entre 1645 et 1658. D'autres sont beaucoup plus éphémères et peinent pour survivre. Dans tous les cas, les conditions des représentations sont difficiles : les salles sont généralement des locaux de fortune (granges, salles de jeu de paume) parfois aménagés à la hâte.

Les troupes parisiennes

Il n'en va pas de même pour les troupes parisiennes, beaucoup mieux dotées. Paris compte trois salles qui accueillent quatre troupes bien distinctes.
La troupe de l'hôtel de Bourgogne(1629-1680) : dirigée par Valleran-Lecomte, elle porte le nom de «Troupe Royale», et, à ce titre, se voit verser une importante pension. Sa vocation première était la farce, mais lorsque les acteurs réputés de l'époque, Turlupin, Gros-Guillaume et Gautier-Garguille disparaissent, la tragédie devient l'essentiel de son répertoire. C'est désormais le tragédien Bellerose qui dirige des comédiens comme Floridor, Montfleury ou bien encore la Champmeslé.
Le théâtre du Marais (1634-1673) : d'abord ambulante, la troupe dirigée par Mondory s'installe définitivement à Paris, au Jeu de paume du Marais, à la suite du succès obtenu par la

représentation du *Cid* de Corneille. Si cette troupe met fin au monopole parisien de celle de l'hôtel de Bourgogne, elle ne lui fait pas véritablement concurrence car toutes deux n'ont pas le même répertoire : ici sont représentées des farces puis des pièces à grands spectacles, dites «pièces à machines», où se multiplient les apparitions et disparitions de décors mobiles.
La troupe de Molière ou «Troupe du Roi» : dès son retour à Paris en 1658, Molière, à la tête d'une troupe expérimentée, s'installe dans la salle du Petit-Bourbon, puis, à la démolition de celle-ci, déménage dans la salle du Palais-Royal que Richelieu a fait restaurer. S'il n'a pas l'exclusivité des pièces jouées, il est pourtant la tête d'affiche de cet espace théâtral. Il y créera vingt-quatre de ses pièces de *Don Garcie* au *Malade Imaginaire*. De ce qui fut le haut lieu du théâtre parisien, il ne reste aujourd'hui, à cause de l'incendie de 1781, qu'une inscription indiquant son emplacement, à l'angle des rues de Valois et Saint-Honoré.
Les comédiens italiens : ils partagent avec Molière la salle du Petit-Bourbon et connaissent un vif et durable succès; ils improvisent autour d'un canevas simple des histoires pleines de vie, de péripéties, mêlant mimiques et gestuelle aux paroles en italien. Scaramouche est le personnage central de cette «commedia dell'arte»*.

Et Molière mourut...

Il n'est pas possible de donner un aperçu complet de ce que fut le théâtre au XVIIe siècle sans poursuivre son histoire au-delà de la mort de Molière. Lorsque le 17 février 1673 Molière s'éteint, tout Paris pense que la troupe dont il était la figure essentielle va se disloquer, d'autant plus que Lully, depuis plusieurs années le rival du dramaturge*, s'installe à la mort de ce dernier au Palais-Royal. Mais La Grange, l'un des fidèles de la troupe de Molière, rassemble autour de lui, à l'hôtel Guénégaud, des comédiens venus d'horizons divers, auxquels s'ajoutent ceux du théâtre du Marais qui vient de fermer ses portes. Finalement, à cause de querelles intestines, l'hôtel de Bourgogne souhaite un rapprochement avec l'hôtel Guénégaud. Louis XIV, lui, voit d'un œil très favorable cette fusion qu'il a toujours souhaitée. Désormais *«une seule troupe aura le privilège exclusif de représenter les comédies dans Paris»*.
C'est ainsi que naquit le 21 octobre 1680, un peu plus de sept ans après la mort de Molière, la Comédie-Française.

Les représentations et l'accueil du public

•

À la ville

La plupart des salles, surtout en province, sont souvent d'anciens Jeux de paume; elles sont rectangulaires, longues et plutôt étroites; l'acoustique y est en général déplorable, l'éclairage restreint à des chandelles fixées au mur par les comédiens eux-mêmes. L'une des extrémités du rectangle est occupée par une petite scène. Seule la salle construite par Richelieu au Palais-Royal, avec son plafond en voûte et son fond de scène en demi-cercle, aurait pu recevoir le nom de «salle de théâtre» tel que nous l'entendons aujourd'hui. À mesure que l'art théâtral se développe et s'enrichit, les salles se modifient; aux chandelles se substituent les lustres; mais c'est surtout la disposition du public qui change.
Dans la salle se côtoient des publics très variés et chacun se voit attribuer une place particulière selon son rang social... et, en conséquence, la somme qu'il peut payer pour assister au spectacle! Sur le pourtour du rectangle de la salle, les femmes et le public élégant sont assis dans des loges et des galeries; à partir de 1656, les spectateurs de marque se voient accorder, à l'instar de la coutume anglaise, des sièges de part et d'autre de la scène même. Cet agencement gêne bien évidemment les déplacements et le jeu des comédiens, d'autant plus que ces spectateurs privilégiés sont souvent là davantage pour se faire voir que pour voir... Ils sont parfois fort peu discrets et il leur arrive de converser entre eux et de couvrir ainsi la voix des acteurs. On a compté jusqu'à deux cents personnes sur scène! Cette pratique, instaurée par les troupes elles-mêmes, dans un souci de rentabilité (ces places se paient très cher), devient rapidement le fléau des représentations. Molière en personne réprouve cette coutume comme en témoigne le début des *Fâcheux*, pièce où il met en scène un de ces élégants qui dérange le spectacle.
Au milieu de la salle, au «parterre», les spectateurs peu fortunés assistent, debout, à la représentation. Ce public populaire est bruyant, indiscipliné mais enthousiaste. Lorsque les représentations sont gratuites, le «spectacle» bat son plein, comme le révèle un extrait du journal le *Mercure de France*, rendant compte d'une représentation d'une pièce de Molière.

> *«Le concours du peuple y fut prodigieux et en très grande gaîté... et l'on peut dire que chaque loge faisait un tableau grotesque, où il ne manquait que des pipes; car le pain, les cervelas, les tasses et les bouteilles y étaient en grand mouvement. On conçoit aisément*

> *combien une telle assemblée avait l'air d'une bacchanale, et combien le silence y était peu observé. Le parterre voulant faire taire le théâtre (c'est-à-dire les spectateurs installés sur la scène) et les loges, il arrivait souvent de petites altercations.»*

Au cours du XVIIe siècle, diverses ordonnances royales tentent d'instaurer plus de discipline, d'ordre et de respect dans les salles de théâtre, et vont parfois jusqu'à interdire l'entrée à des personnes trop agitées. Il faudra pourtant attendre le milieu du XVIIIe siècle pour que la scène redevienne le lieu réservé aux seuls comédiens.

Les représentations sont annoncées par voie d'affichage et par la criée; les comédiens, surtout en province, parcourent la ville pour annoncer l'heure et la teneur du spectacle. À Paris, on joue trois fois par semaine, l'après-midi, puis l'horaire est repoussé de plus en plus tard, jusque après les vêpres.

Il ressort que si le théâtre est un art qui connaît son apogée au XVIIe siècle, les conditions matérielles des représentations sont parfois difficiles pour les comédiens; cependant ce qui importe avant tout, c'est que le public soit là, si gênant, si bruyant soit-il, et Molière, dans *la Critique de l'École des femmes,* confirme cette idée en écrivant que les spectateurs sont les *«arbitres souverains du destin d'un acteur»* et que le parterre *«fait la loi du théâtre»*. Telles sont les caractéristiques des représentations lorsqu'elles se déroulent «à la ville». À la Cour, en revanche, le cadre et le comportement sont tout autres.

À la Cour

Quand les troupes se produisent à la Cour, et en particulier lorsqu'il s'agit des spectacles qui font partie des «Divertissements royaux», les conditions des représentations sont bien différentes. L'on participe alors à des fêtes somptueuses, peut-être les plus magnifiques du règne, dans les cadres majestueux des châteaux de Vaux-le-Vicomte, de Saint-Germain, de Chambord... ou de Versailles. Les comédiens côtoient les princes dans une débauche de faste et de luxe où le désir de se divertir règne en maître. La pièce elle-même s'inscrit dans un ensemble de divertissements, fêtes carnavalesques, mythologiques, où se mêlent chants et danses. Masqués, en costume, les invités se perdent dans les jardins «à la française», se retrouvent aux lueurs des feux d'artifice et contemplent leur image dans les pièces d'eau illuminées.

C'est pour contribuer à créer cette atmosphère grandiose que Molière écrit la plupart de ses comédies-ballets. Le château de Chambord fut le cadre de la première représentation du *Bourgeois Gentilhomme.* Ces spectacles exceptionnels, que l'on appellerait aujourd'hui des «premières», étaient pour un auteur l'occasion de révéler à un public choisi une nouveauté, représentée par la suite «à la ville», dans des cadres plus traditionnels et devant un beaucoup plus large public. (cf. Jugements p. 184).

Un cavalier et une dame «buvant le chocolat». Gravure de Bonnart, B.N.

UNE COMÉDIE...

PRÉSENTATION

La personnalité de M. Jourdain
Les désirs de M. Jourdain
Les adjuvants de M. Jourdain } • en apparence et en réalité
Les opposants de M. Jourdain } • extérieurs à sa famille et au sein de sa famille

EXPOSITION

INTRIGUES

1. Le mariage de la fille de M. Jourdain :
   Lucile épousera-t-elle Cléonte (selon ses désirs) ou un gentilhomme (selon les désirs de son père)
2. L'aventure amoureuse de M. Jourdain
   Le bourgeois parviendra-t-il à conquérir la marquise Dorimène ou est-ce Dorante qui arrivera à ses fins ?

NŒUD

RÉSULTATS

EN APPARENCE	EN RÉALITÉ
Un homme comblé – Dorimène accepte ses cadeaux – Il est Mamamouchi – Sa fille épousera le fils de Grand Turc	Un homme bafoué – Dorimène et Dorante vont se marier – Lucile va épouser Cléonte, déguisé en fils du Grand Turc.

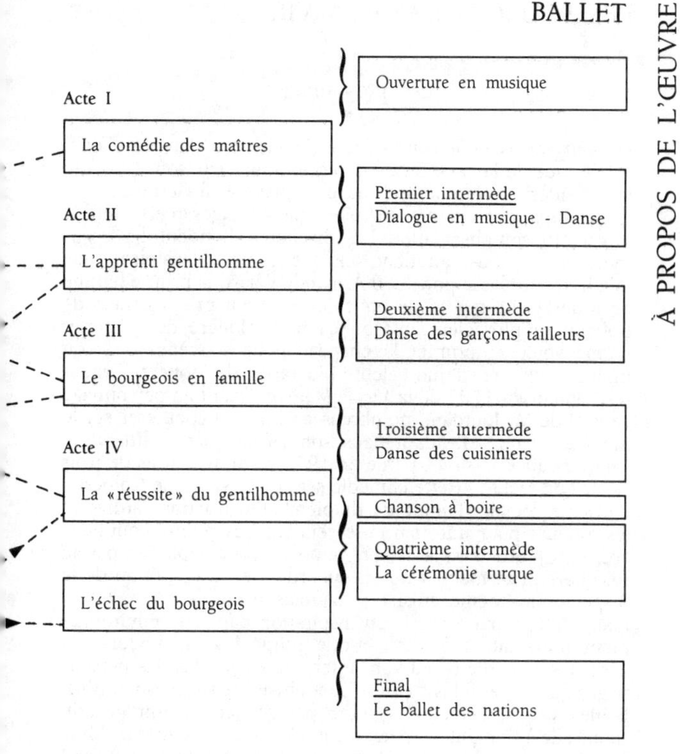
BALLET
Acte I
La comédie des maîtres
Ouverture en musique
Acte II
L'apprenti gentilhomme
Premier intermède
Dialogue en musique - Danse
Acte III
Le bourgeois en famille
Deuxième intermède
Danse des garçons tailleurs
Acte IV
La « réussite » du gentilhomme
Troisième intermède
Danse des cuisiniers
Chanson à boire
Quatrième intermède
La cérémonie turque
L'échec du bourgeois
Final
Le ballet des nations

LES SOURCES DANS LA VIE

Les personnages

•

Le Bourgeois Gentilhomme s'ancre doublement dans la réalité. À l'époque de la création de la pièce, nombreux sont ceux qui la considèrent comme une pièce «à clés» et les critiques, de tous temps, ont cherché sur quels **personnages réels** Molière avait porté son observation. Les anecdotes abondent, les hypothèses aussi; nous ne retiendrons que les plus plausibles. Ainsi Lucile serait-elle le portrait d'Armande Béjart, la propre femme de Molière. Le maître de philosophie aurait pris les traits de Rohault, un physicien-philosophe ami de Molière, dont il aurait même voulu emprunter le chapeau pour la scène; c'est du moins ce que révèle un célèbre biographe de Molière, Grimarest, auteur en 1705 de la *Vie de Molière.* Quant au personnage central de M. Jourdain, nombreuses sont les hypothèses sur le modèle vivant. M. Adam dans son *Histoire de la littérature française au XVIIe siècle,* parue en 1952, écrit avec près de trois siècles de recul : «Cette comédie serait une satire de Colbert». L'origine sociale (famille de drapiers), l'instruction tardive et les amours pour une marquise seraient des points communs entre M. Jourdain et le célèbre ministre. Il ne déplaisait pas au roi que l'on se moquât de ses subordonnés, à condition de le respecter lui-même ainsi que la maison royale.

Mais Molière puise aussi son inspiration dans **son environnement immédiat**, et, en directeur de troupe, il a en tête, lorsqu'il écrit, les comédiens qui vont interpréter les rôles des personnages qu'il crée. Il les façonne pour ainsi dire sur mesure. Ainsi la Beauval, comédienne célèbre par son rire communicatif, serait-elle à l'origine du personnage de Nicole. De même, Mme Jourdain prenait semble-t-il déjà sous la plume du dramaturge* les traits de Hubert, comédien habitué à tenir les rôles de femme mûre. De Brie, quant à lui, interpréterait à merveille le maître d'armes, «grand cheval de carrosse». Enfin, incarner le personnage de M. Jourdain, c'est pour Molière lui-même l'occasion d'exprimer avec un immense plaisir ses talents de comédien, de danseur, de chanteur, de mime, l'occasion de se déguiser, de se mettre en colère et surtout de faire rire par des bouffonneries mémorables.

Sans doute *le Bourgeois Gentilhomme* est-il la pièce où Molière a, plus que partout ailleurs, façonné ses personnages en fonction des comédiens de sa troupe qui étaient destinés à les interpréter.

L'action

•

Le Bourgeois Gentilhomme est une œuvre de «circonstance», commandée par Louis XIV, s'inscrivant dans une mode du moment – l'attirance pour l'exotisme oriental – mais née d'un événement particulier. Lisons un extrait des *Mémoires* du chevalier d'Arvieux : «*Le roi ayant voulu faire un voyage à Chambord pour y prendre le divertissement de la chasse voulut donner à sa cour celui d'un ballet, et comme l'idée des Turcs qu'on venait de voir à Paris était encore toute récente, il crut bon de les faire paraître sur la scène.*» Le 5 novembre 1669, Louis XIV avait reçu un envoyé du sultan de l'Empire ottoman nommé Soliman Aga; le roi avait déployé un faste extraordinaire pour impressionner l'ambassadeur, son brocart d'or était tellement couvert de diamants «qu'il semblait environné de lumière»; or, au sortir de la réception, l'ambassadeur turc aurait tenu d'un ton froid des propos en la circonstance fort blessants, affirmant que dans son pays «lorsque le Grand Seigneur se montrait au peuple son cheval était plus richement orné que l'habit qu'il venait de voir». Cette anecdote fit le tour de la Cour : il fallait rapidement trouver un moyen de ridiculiser les Turcs dont l'ambassadeur avait osé ne pas être ébloui par le Roi-Soleil... Molière allait se charger de mettre en scène cette petite vengeance en écrivant *le Bourgeois Gentilhomme!*

LES SOURCES LITTÉRAIRES

Le thème

•

Pour mettre en scène le désir effréné d'instruction et l'émerveillement naïf né des découvertes qu'elle engendre, Molière s'inspire d'œuvres de l'Antiquité grecque et latine, comme *les Nuées* d'Aristophane. Quant au «phénomène turc», il a déjà inspiré plusieurs auteurs avant Molière : Scudéry, en 1641, dans *Ibrahim ou l'illustre Bassa,* pièce se déroulant dans une Turquie fantaisiste; Rotrou, en 1645, dans *la Sœur,* où l'un des personnages parle le turc; et enfin Lully, en 1660, a enchanté Louis XIV par un *Récit turquesque.*

La forme : du ballet de cour à la comédie musicale

•

Si l'on peut considérer que le genre de la comédie-ballet naît véritablement avec *le Bourgeois Gentilhomme,* parce que c'est la première pièce à mentionner ce sous-titre, il est certain que

d'autres œuvres ont annoncé cette forme particulière d'écriture et de représentation théâtrales.
Dès la fin du XVIe siècle, des «ballets de Cour» sont représentés. Les nobles de la Cour et le roi lui-même y participent en tant qu'exécutants, acteurs, danseurs, musiciens. Le roi joue souvent le rôle d'Apollon-Phébus. À partir de livrets comportant vers et partitions, tous contribuent, en fonction de leurs compétences, à la représentation de l'œuvre collective dont ils ont souvent déterminé eux-mêmes le thème. À l'époque de Molière, l'élaboration et l'exécution du spectacle sont confiées à des professionnels, la Cour et le roi redevenant de simples spectateurs.
Peu à peu, le genre se codifie mais les textes, l'action dramatique restent un prétexte à la mise en scène de morceaux chantés et dansés. C'est le cas notamment du genre de la «pastorale», ballet où sont mises en scène les amours de bergers et qui, à l'époque de Molière, est tout à fait à la mode, comme en témoigne la réflexion de M. Jourdain : *«Pourquoi toujours des bergers? On ne voit que cela partout.»* (I, 2). C'est le cas également de la plupart des comédies-ballets que Molière écrit pour le roi et la Cour à partir de 1661 : *Les Fâcheux* représentée à Vaux en 1661, *Le Mariage forcé* au Louvre en 1664, *Les Plaisirs de l'île enchantée* à Versailles en 1664, *L'Amour médecin* à Versailles en 1665, *Les amants magnifiques* à Saint-Germain-en-Laye en 1670, pour n'en citer que quelques-unes. L'on constate que ce genre est extrêmement florissant car, très apprécié de la Cour, il fournit au roi l'occasion de donner de magnifiques réceptions et de déployer le faste qu'il aime.
Ce sera l'originalité de Molière dans *le Bourgeois Gentilhomme,* de réaliser l'alliance véritable entre la comédie et le ballet pour que l'une et l'autre s'imbriquent réellement et forment ainsi un tout cohérent.
En effet, si *le Bourgeois Gentilhomme* ne répond pas à tous les critères d'une pièce de théâtre «classique», en particulier dans le déroulement de l'intrigue, il n'en reste pas moins que l'action, loin d'être un simple prétexte au ballet, constitue une réelle comédie de mœurs, où satire* sociale et divertissement pur se répondent. On peut dire que Molière a véritablement établi un genre qui trouvera son prolongement dans le grand opéra, et, de façon plus récente, dans la comédie musicale. *My fair Lady, West Side Story, Singing in the Rain* ou certains spectacles de Robert Hossein ne sont-ils pas le résultat de cette plaisante alliance de différents arts pour aboutir à un spectacle total?

XVIIe SIÈCLE : UN TÉMOIGNAGE D'ÉPOQUE

C'est le gazetier Robinet, journaliste de l'époque, qui fournit deux témoignages à mettre en parallèle, rendant compte du succès de la pièce, à la Cour comme à la ville.

Mardi, ballet et comédie,
Avec très bonne mélodie
Aux autres ébats succéda,
Où tout, dit-on, des mieux alla,
Par les soins des deux grands Baptistes[1],
Originaux et non copistes,
Comme on sait dans leur noble emploi,
Pour divertir notre grand Roi,
L'un par sa belle comédie,
Et l'autre par son harmonie.
Robinet, *Lettre en vers à Monsieur* (18 octobre 1670).

1. Il s'agit de Molière et de Lully, tous deux prénommés Jean-Baptiste.

Mardi l'on y donne au public
De bout en bout et ric et ric
Son charmant Bourgeois Gentilhomme
C'est-à-dire presque tout comme
À Chambord et à Saint-Germain
L'a vu notre grand souverain,
Même avecques des entrées
De ballet les mieux préparées,
D'harmonieux et grands concerts.
Robinet, *Lettre en vers à Monsieur* (22 novembre 1670).

XVIIIe SIÈCLE : DÉSACCORD DE ROUSSEAU ET VOLTAIRE

Au XVIIIe siècle, deux jugements s'opposent à travers deux hommes, Rousseau et Voltaire. Rousseau réfléchit aux intentions de Molière et condamne le parti pris par l'auteur de ridiculiser M. Jourdain, alors que d'autres personnages de la pièce sont à ses yeux beaucoup plus blâmables.

J'entends dire qu'il [Molière] attaque les vices; mais je voudrais bien que l'on comparât ceux qu'il attaque avec ceux qu'il favorise. Quel est le plus blâmable, d'un bourgeois sans esprit et vain qui fait sottement le gentilhomme, ou du gentilhomme fripon qui le dupe? Dans la pièce dont je parle, ce dernier n'est-il pas l'honnête homme, n'a-t-il pas pour lui l'intérêt et le public n'applaudit-il pas à tous les tours qu'il fait à l'autre?
J.-J. Rousseau, *Lettre à M. d'Alembert sur les spectacles* (1758).

Voltaire, au contraire, trouve que Molière a visé juste et qu'il a trouvé en M. Jourdain une incarnation parfaite du ridicule humain.

> Le Bourgeois gentilhomme *est un des plus heureux sujets de comédie que le ridicule des hommes ait pu fournir. La vanité, attribut de l'espèce humaine, fait que les princes prennent le titre de rois, que les grands seigneurs veulent être des princes [...] Cette faiblesse est précisément la même que celle d'un bourgeois qui veut être homme de qualité; mais la folie du bourgeois est la seule qui soit comique et qui puisse faire rire au théâtre : ce sont les extrêmes disproportions des manières et du langage d'un homme avec les airs et les discours qu'il veut affecter qui font un ridicule plaisant.*
>
> Voltaire, *Sommaires des pièces de Molière,* 1765.

XIXe SIÈCLE : UNE ÉTUDE JUSTE DE LA SOCIÉTÉ FRANÇAISE

G. Lanson pense que *le Bourgeois Gentilhomme* témoigne d'une grande justesse dans l'observation des mœurs de l'époque, mais, bien au-delà, ne cesse d'être d'actualité car il rend compte de l'un des moteurs de l'Histoire.

> *Les bourgeois sont nombreux et divers comme leur classe : M. Dimanche, le marchand, créancier né des gentilhommes, et né pour être payé en monnaie de singe; Mme Jourdain, toute proche du peuple par son bon sens, sa tête chaude, sa parole bruyante, et sa bonté foncière; Jourdain, Arnolphe, les bourgeois vaniteux qui jouent au gentilhomme, prennent des noms de terre ou frayent avec des nobles dont la compagnie leur coûte cher [...]. Voici enfin la noblesse de Paris et de la cour : le noble ruiné qui se fait escroc, Dorante [...]. Il est remarquable que Molière a si bien posé les traits caractéristiques des diverses classes de la société française, qu'à travers toutes les révolutions les grandes lignes de ses études restent vraies.*
>
> G. Lanson, *Histoire de la littérature française,* Hachette, 1894.

XXe SIÈCLE : UN SUJET TOUJOURS D'ACTUALITÉ

Les critiques sont fort nombreuses, sans doute parce que *le Bourgeois Gentilhomme* est très régulièrement représenté, parce qu'il a fait l'objet de plusieurs films et donné lieu à des enregistrements sur disque. Peut-être aussi parce qu'il est plus que jamais d'actualité dans notre siècle où presque tout s'achète, où les fortunes se font et se défont vite, où les «nouveaux riches» paradent, offrent en abondance des signes extérieurs de leur richesse.

Valeur littéraire

•

Les jugements portent tout d'abord sur la valeur littéraire de la pièce. Certains montrent les faiblesses du *Bourgeois Gentilhomme*, nées du genre hybride dans lequel elle s'inscrit.

«Une pièce bâtie à la diable»

> Le Bourgeois gentilhomme *n'est ni une étude sociale, ni une étude de caractère. La pièce est bâtie à la diable. L'action ne commence qu'au troisième acte. Elle reste extrêmement sommaire, d'une invraisemblance parfaite et sereine. La matière manque tellement que Molière recommence pour la troisième fois la scène du double dépit amoureux, qu'il avait déjà reprise en 1667 pour meubler le vide du deuxième acte de* Tartuffe. *Les caractères ne sont même pas tous cohérents. Dorante commence par promettre beaucoup. Ce gentilhomme élégant est d'une indélicatesse froide. Il annonce le chevalier d'industrie. Il pouvait fournir la matière d'une étude très neuve. Mais Molière s'arrête en chemin et le Dorante du dernier acte est devenu un personnage sympathique.*
>
> *Ces défauts seraient graves si le* Bourgeois gentilhomme *était une grande comédie. Ils n'ont aucune importance dans une comédie-ballet, et celle-ci, prise telle qu'elle est, avec les libertés du genre, dans son vrai ton et son exact éclairage, est une des œuvres les plus heureuses de Molière, et par sa verve endiablée, la valeur amusante de Mme Jourdain et surtout la vie prodigieuse de M. Jourdain.*
>
> Antoine Adam, *Histoire de la littérature française au XVIIe siècle,* tome III, Domat, 1952.

«Une suite de hors-d'œuvre»

> Le Bourgeois gentilhomme, *présenté souvent aux élèves comme une comédie classique, est peut-être de toutes les œuvres de Molière celle qu'il a composée avec le plus de liberté et de fantaisie. Son intrigue n'a aucune cohérence. C'est une suite de hors-d'œuvre, de morceaux à effets, d'ailleurs éblouissants de verve : les disputes des maîtres, l'habit aux fleurs «en enbas», Mme Jourdain rembarrant son mari, Covielle déguisé faisant sa demande au nom du fils du Grand Turc, le menu détaillé par Dorante pour éblouir Dorimène et étourdir M. Jourdain. [...] Quant à l'unité de l'ensemble, elle est assurée, tant bien que mal, par les entrées de ballet : le tout d'ailleurs pour aboutir à la cérémonie turque et au ballet des nations.*
>
> P. Clarac, *L'Âge classique,* t. II (1660-1680), Arthaud, 1969.

D'autres voient au contraire dans ces «divertissements», dans la bouffonnerie qu'ils engendrent, un surcroît de richesse, lié au spectacle total qui est ainsi offert aux spectateurs.

«Une comédie-ballet...

Le roi avait dit : «Un ballet avec des Turcs!» L'esprit de Molière part de là. Il se pose cette question naturelle : «Chez les Turcs, qu'est-ce qu'il y a de plus comique? Le Grand Turc, parbleu! Mais le Grand Turc fait bien vieux. Prenons le fils du Grand Turc. Et comme il s'agit d'une comédie, ce ne peut être qu'un simulacre de fils du Grand Turc! Un jeune homme sous ce déguisement dupera le bourgeois qui lui aura refusé sa fille.» [...] Molière tient son sujet. Il lui a suffi de mener logiquement sa pensée. C'est toujours cette logique inattaquable qui donne à ses pièces leur premier ton d'éternelle vérité. [...]
Comédie-ballet, dit le sous-titre de la pièce, c'est-à-dire que la comédie s'envolera sur les ailes de la poésie, à la minute où elle entrera dans un ballet, ou que simplement le ballet sera la réalité haussée d'un ton, dans l'allégresse. Le comique des paroles illustrées par le geste ne suffit plus à Molière. Il veut une joie plus rayonnante. Il fait appel à la musique, et il invente cette apothéose qu'est la cérémonie. Le Bourgeois gentilhomme *est ainsi le contraire d'une comédie mal équilibrée. C'est la fleur exquise d'une civilisation, qui a su quelque temps que l'art théâtral unit le plaisir des yeux et des oreilles à celui de l'esprit. [...] On peut l'étudier de toutes manières : on ne voit que bonheur dans la réussite.*

René Benjamin, *Molière*, Plon, 1936.

... sous le signe de la joie»

Au fond, la pièce est une farce, mais admirablement agencée. Molière a eu plaisir, on le sent, à offrir ce plaisir aux spectateurs; il s'est diverti avant de les divertir. Il n'y a pas une ombre; la moindre réplique est placée sous le signe de la joie. On ne s'étonnera donc pas que le Bourgeois *ait encore le même succès, non seulement en France, mais en Amérique, en U.R.S.S., etc., qu'il ait fait allégrement son tour du monde.*

G. Bordonove, *Molière, génial et familier*, Laffont, 1967.

M. Jourdain

•

D'autres critiques analysent les personnages, particulièrement M. Jourdain, et, en conséquence, la portée de la pièce et la satire qu'elle contient.

«Un gros bouffon à figure de pivoine sympathique»

Il [Molière] a devant les yeux un Monsieur Jourdain rubicond, chamarré, flamboyant, un magnifique Jourdain-citrouille, tout jubilant de l'habit qu'on lui présente comme une bannière de la Fête-Dieu, bourrant de pistoles les poches des compagnons tailleurs (ce qui ne l'empêche pas de voir qu'on le vole, car il a l'œil marchand), trop heureux d'ouvrir son coffre-fort à Dorante, dansant le menuet, faisant la révérence, appelant ses laquais, changeant vingt fois d'indienne, pestant contre Nicole, et s'étalant dans ses fauteuils de damas écarlate avec un bonheur qui, pour devenir complet, ne demanderait qu'à être partagé. [...] L'épaisseur de son ridicule est énorme, et jamais rien dans son attitude n'inspire le dégoût. On devine Molière content de le regarder, de le palper, de l'installer dans ses meubles, de planter un turban sur sa perruque, d'en faire un Mamamouchi, de le voir si prospère, si triomphant, si bien en scène. Au fond, ce gros bouffon à figure de pivoine lui est sympathique.

Pierre Brisson, *Molière*, Gallimard, 1942.

«Un brave homme vaniteux»

Par une portée à dessein plus limitée de la satire, les ambitions de M. Jourdain vont beaucoup moins loin. Il n'aspire pas à jouer un grand rôle. Il se tient aux inoffensives satisfactions de vanité. Il garde même dans une extravagance croissante une candeur et un bon sens terre à terre qui font agréablement sourire. Il ferait vite le malheur des siens, mais il est aisé de le désarmer si l'on paraît donner dans ses aberrations : il suffit de l'associer à une comédie joyeuse. Il est au fond brave homme.

René Jasinski, *Molière*, Hatier, 1970.

Les délires d'un bourgeois

Monsieur Jourdain pousse à l'absurde l'ambition bourgeoise de tout acquérir à prix d'argent : la considération, les titres, les belles manières. Si son pouvoir défaut parce qu'il ne se voit pas comme les autres le voient, si son délire l'enferme dans une solitude totale, il se crée un univers à lui où tout devient déguisement : les beaux habits, le beau langage et les gestes élégants. Il est donc normal de finir en apothéose sur la cérémonie turque, jeu du travestissement avec ses oripeaux, son galimatias et ses salamalecs.

Alfred Simon, Molière par lui-même, Seuil, 1974.

Les autres personnages

Les maîtres

La série des leçons, aux deux premiers actes, accuse [...] la sottise non seulement de M. Jourdain, mais des maîtres qui prétendent le former :

Le danseur, futile et vaniteux, [...] le maître à chanter, servile et intéressé, [...] le maître d'armes, obtus et brutal, [...] le maître de philosophie surtout, qui habille de termes faussement savants de vaines lapalissades. [...] Il n'est pas jusqu'au maître tailleur [...] qui ne dogmatise à sa façon, non sans flagornerie et filouterie. Tous font assaut d'absurdité pédantesque : raccourci de la folie humaine dans les choses de l'esprit comme dans celles de l'art et des métiers.

R. Jasinski, *op. cit.*

Les personnages sensés

Mme Jourdain peut paraître un peu étroitement bourgeoise, et l'on devine chez elle un fond d'amertume. Elle n'en fait pas moins ressortir par son bon sens l'absurdité de son mari, et sait lorsqu'il le faut entrer dans le jeu. La fraîcheur de sa fille Lucile et la gentillesse de l'amoureux Cléonte, la verdeur de la servante Nicole et la verve allègre du valet de Cléonte, Covielle, tout concourt à une fantaisie qui ne s'embarrasse pas des contingences et se veut avant tout divertissante.

(ibid.)

Dorante

Comte authentique mais désargenté, qui gruge M. Jourdain par des «fourbes» confinant à l'escroquerie. Molière ne ménage pas la noblesse indigne de son rang et de ses privilèges.

(ibid.)

LA NOBLESSE

Pour bien comprendre *le Bourgeois Gentilhomme,* les prétentions nobiliaires du héros M. Jourdain, les liens qui l'unissent à Dorante et ceux qu'il aimerait tant tisser avec Dorimène, il est nécessaire d'avoir une idée précise de ce que sont ces «gens de qualité», ces gentilshommes au sein desquels notre bourgeois rêve d'être admis. Il est habituel de dire que la société de l'Ancien Régime est divisée en trois ordres, le clergé, la noblesse et le tiers état, et de distinguer de façon nette les roturiers des nobles. Pourtant ces trois ordres juridiques ne correspondent pas à la réalité complexe des classes sociales car, au XVIIe siècle, la société est en pleine évolution. Lorsque Molière écrit *le Bourgeois Gentilhomme,* c'est-à-dire dans la seconde moitié du siècle, la société est en train d'être remodelée par Louis XIV et a désormais accès aux titres de la noblesse un grand nombre de roturiers. On peut donc, en 1670, distinguer différentes «catégories» de nobles.

La noblesse ancienne

•

La noblesse des grands est immémoriale et, de ce fait, ils n'ont jamais à la prouver. Ils sont environ une centaine; tous les ducs et pairs, les princes de sang (parents du roi) et la plupart des grands prélats (archevêques) appartiennent à ce groupe. Si leur noblesse est pure, leur fortune est fragile car leurs biens sont dispersés et leurs recettes ne couvrent pas leur folie dépensière attisée par le train de vie à Versailles. Fréquemment, ils ont recours au roi qui les «sauve» financièrement, en leur octroyant des biens ou en réglant simplement leurs dettes. Cela permet à Louis XIV de les contrôler et d'éviter ainsi que les troubles de la Fronde ne se reproduisent. Ils sont animés de prétentions politiques et entendent faire partie du Conseil du Roi, jouir en province de commandements importants et, militairement, être les maîtres des régiments, des amirautés et de l'artillerie. Quant à leur vie intellectuelle et morale, elle est beaucoup plus médiocre qu'ils ne veulent le faire croire. En général peu cultivés, voire ignares, ce sont, pour la plupart, des hommes légers, libertins, grossiers et faussement dévôts. À quelques exceptions près, la culture et la religion des grands n'est pas à la hauteur de celles de la noblesse de robe.

La noblesse parlementaire, quant à elle, siège aux Parlements; sa fortune est variable, parfois très grande. Cette noblesse orgueilleuse, avide d'argent, bâtit, décore, reçoit, lit et écrit beaucoup.

Les gentilshommes campagnards forment une troisième catégorie. Des romans comme *le Capitaine Fracasse* ont popularisé ce type de gentilshommes «aussi nobles et pauvres que fiers de l'être». Résidant dans un manoir plus ou moins délabré, ils sont dans une gêne financière qui les oblige à être sans pitié à l'égard de leurs paysans. Ils conservent un culte profond pour le métier des armes. Sauf exceptions, leur niveau intellectuel est assez bas. La brutalité des mœurs n'est pas rare. Ils sont très conservateurs, attachés à leurs droits et ont du mal à suivre l'évolution de la société.

La moyenne noblesse de province, enfin, est moins gênée par le manque d'argent que les gentilshommes campagnards. Elle réside entre la campagne et la ville. Ces nobles gèrent mieux leurs biens que les autres, en tâchant de résister aux tentations parisiennes et versaillaises.

La noblesse «moderne»

•

Louis XIV, par son absolutisme, musèle la plupart des ambitions des grands et leur ôte certains des droits qu'ils considéraient comme acquis. La noblesse ancienne n'est plus le critère obligatoire du succès, le paramètre de la naissance n'est plus toujours prioritaire. Le mérite rivalise désormais avec la qualité des familles. De plus, nombreux sont les bourgeois, roturiers qui, mûs par un désir d'ascension sociale pour leur prestige mais également pour se soustraire à la taille, souhaitent devenir nobles. L'État, pour renflouer ses caisses, vend des charges auxquelles il attache l'octroi d'un titre. En payant des sommes parfois élevées, les bourgeois deviennent nobles, constituant ce qu'on appelle la noblesse de robe.

Pour être anoblis, trois possibilités s'offrent aux roturiers.
L'anoblissement par lettres : cette coutume née au XIIIe siècle, largement répandue dès le XIVe, a également été pratiquée par Louis XIV jusqu'à l'abus... Pourtant, le choix du roi se révèle généralement judicieux et ce sont des roturiers méritants qui bénéficient de ce type d'anoblissement. Ces «lettres» sont rarement gratuites et permettent de renflouer les caisses de l'État. Elles sont donc le privilège de riches bourgeois. Voici les termes habituels dans lesquels est explicité l'anoblissement :

> «... *Nous avons de Notre grâce spéciale, pleine puissance et autorité royale, anobli par ces présentes signées de Notre main et anoblissons le sieur X... et du titre de noble et d'écuyer l'avons décoré et décorons, voulons et Nous plaît qu'il soit censé et réputé noble... ensemble ses enfants, postérité et descendants mâles et femelles nés et à naître en légitime mariage; que comme tels ils*

puissent prendre en tous actes et en tous lieux la qualité d'écuyer, parvenir à tous les degrés de chevalerie et autres dignités, titres et qualités réservés à Notre noblesse, qu'ils soient inscrits au catalogue des nobles, qu'ils jouissent de tous les droits, privilèges, prérogatives, prééminences, franchises, libertés, exemptions et immunités dont jouissent et ont accoutumé de jouir les autres nobles de Notre royaume...»

L'anoblissement par charges : certaines charges anoblissent leur titulaire immédiatement et entièrement, à condition qu'il l'exerce durant vingt ans ou meure «en charge»; les autres ne donnent qu'une noblesse graduelle : il faut que deux générations l'aient exercée pour qu'elle soit définitivement acquise. Mais que sont ces charges? Ce sont des fonctions publiques que l'on doit remplir, en étant par exemple secrétaire d'État ou en ayant des responsabilités dans le domaine judiciaire, financier ou municipal. Ces «charges» sont toujours payantes, mais leur prix est variable et il reste que quelle que soit la fortune de celui qui veut l'obtenir, c'est le roi et le roi seul qui décide de l'anoblissement. Même si un dicton disait à l'époque «le roi peut faire des nobles et non des gentilshommes», il n'en reste pas moins que ces nouveaux nobles ont été aussi nobles que les autres, parfois même davantage dans leur comportement et qu'ils ont joui de tous les privilèges propres à la noblesse. Ils sont toutefois souvent méprisés par la noblesse ancienne. Dans ce mécanisme d'anoblissement, chacun trouvait son compte; pour les riches bourgeois, c'était la consécration suprême, ce qui prouve quel était le prestige de la noblesse; pour le roi et l'État en général, c'était le moyen de se faire des serviteurs sûrs et des alliés indispensables.
L'anoblissement par «agrégation» : les «faux-nobles». Certains roturiers, achetant un domaine, prennent des responsabilités dans leur commune; sans les anoblir, cela les exempte de la taille, premier pas vers la noblesse. Ils deviennent juges, contrôleurs d'impôts, ils se font appeler «seigneur» et prennent le nom de leur propriété en intercalant la particule. Ainsi, par exemple, le «seigneur» du village du Plessis devient-il au bout de quelques années «Monsieur du Plessis». Ce n'est qu'un exemple, mais il est certain qu'un certain nombre, voire un nombre important de bourgeois a usurpé de cette manière, ou s'est purement inventé, des titres de noblesse. Molière met en scène cette pratique dans *l'École des Femmes* (I, 1). C'est contre ces agissements que dans *le Bourgeois Gentilhomme*, s'élève Cléonte, lui, l'honnête homme pour qui la fin ne justifie pas les moyens.
À l'issue de cette étude, trois remarques s'imposent :
La noblesse est une classe sociale très hétérogène, dont l'ori-

gine, la fortune et les conditions d'existence sont extrêmement variées. C'est une catégorie sociale qui évolue; certains nobles, réduits à l'inaction par leur état de courtisan, et contraints de suivre le train de vie exigé par la Cour s'appauvrissent et vont jusqu'à se ruiner, d'autant plus que le roi encourage les jeux d'argent auxquels beaucoup de nobles se laissent prendre. Certains sont obligés, pour vivre, d'avoir recours à des moyens malhonnêtes. Ainsi en est-il dans *le Bourgeois Gentilhomme* de Dorante, noble désargenté qui a trouvé en M. Jourdain une source de revenus faciles. Quant aux roturiers, un grand nombre d'entre eux est anobli par des moyens plus ou moins licites, ou espèrent l'être. L'on comprendra mieux, avec cet éclairage, les rêves de M. Jourdain; ce sont ceux, caricaturés bien sûr, de toute une catégorie sociale.

LES BONNES MANIÈRES ET LE «BON GOÛT»

M. Jourdain désire être anobli et pour mettre toutes les chances de son côté, il tente, en attendant d'avoir le titre, d'acquérir tous les signes extérieurs de la noblesse, en calquant son comportement et ses habitudes de vie sur ceux des «gens de qualité»; quelles étaient donc, en 1670, les critères du bon goût, ceux qui distinguaient les gens de qualité des autres? Nous nous en tiendrons aux domaines évoqués dans *le Bourgeois Gentilhomme.*

La mode

•

En ce qui concerne la mode, c'est la Cour qui donne le ton. Tous les nobles subissent son influence et **le costume** est très codifié. Rappelons que pour les bourgeois, le costume est réglementé. Il leur est interdit, sous peine d'amende, «de porter non seulement des étoffes d'or et d'argent, mais encore broderies, piqûres, chamarrures, guipures, passements, boutons, etc.». Louis XIV renouvellera sans cesse pendant son règne ce type d'interdictions, preuve qu'en ce domaine, il avait quelque difficulté à être obéi! C'est donc la Cour qui lance la mode et le luxe du costume fait partie du faste de Versailles. Les tailleurs à la mode comme Regnault ou Gautier font payer très cher leurs services. De véritables conférences artistiques élaborent des modes nouvelles.
La femme porte une chemise en toile très solide, décolletée et à manches courtes. Par-dessus, un vêtement de couleur, lacé dans le dos appelé «corps piqué», auquel sont fixées trois jupes que les Précieuses appellent «le modeste, la friponne et la secrète». La jupe de dessus doit s'harmoniser avec la robe. La forme de la robe ne change pas sous Louis XIV; ce sont des

détails, les bijoux, les tissus et la coiffure qui montrent les variations de la mode. Les étoffes sont en général riches, surchargées de dentelles, colorées. Bien sûr, pour les fêtes exceptionnelles, les robes sont réalisées en étoffes précieuses. Mme de Sévigné nous décrit une robe *«d'or sur or, rebrodée d'or, et par-dessus un frisé rebordé d'un or mêlé avec un certain or, qui fait la plus belle étoffe qui ait jamais été imaginée...»*. Les hommes rivalisent avec les femmes dans le domaine de la mode. On a même l'impression que seigneurs et grands bourgeois, pour meubler leur oisiveté sont, plus encore que les dames, esclaves d'une mode toujours changeante. En 1640, un pourpoint orné d'un collet de dentelles, des chausses souples ou des bottes très fines, des gants constituent le costume traditionnel du courtisan qui porte alors d'ordinaire les cheveux mi-longs et une petite barbe. Vers 1650, ce costume fait place à un vêtement extravagant, la rhingrave, étonnante jupe-culotte, surchargée de rubans, de galons et de nœuds (cf. *le Bourgeois Gentilhomme,* II 5). On la porte avec des culottes ornées de canons, larges dentelles attachées au-dessous des genoux. On porte également une petite veste, le pourpoint, ornée de flots de rubans sur les épaules. Ce sont les Précieux et les Précieuses qui ont mis à la mode cette «fureur ridicule» que Molière tourne en dérision dans *l'École des femmes.*

> *Ils ont de beaux canons, force rubans et plumes*
> *Grands cheveux, belles dents et des propos fort doux;*
> *L'École des femmes* (Acte III, sc. 1)

Mais vers 1675, par souci d'ordre et de majesté, Versailles lance la mode des justaucorps, long vêtement sans couture, porté sur une veste, l'un et l'autre s'arrêtant aux genoux. Le port de la cravate en mousseline est obligatoire. Ce justaucorps donnera naissance à «l'habit à la française» porté dans toute l'Europe du XVIIIe siècle. Les bottes ont fait place à des souliers bas à boucles, et, après la disparition de la rhingrave, les mollets sont moulés dans de superbes bas.
Les costumes que portait Molière en scène ont été répertoriés à sa mort, dans l'Inventaire de 1673; leur description constitue un précieux témoignage.

> *«Un habit pour la représentation du* Bourgeois gentilhomme, *consistant en une robe de chambre rayée, doublée de taffetas aurore et vert, un haut-de-chausses de panne rouge, une camisole de panne bleue, un bonnet de nuit et une coiffe, des chausses et une écharpe de toile peinte à l'indienne, une veste à la turque et un turban, un sabre, des chausses de brocart aussi garnies de rubans verts et aurore, et deux points de Sedan. Le pourpoint de taffetas garni de dentelle d'argent faux. Le ceinturon, des bas de*

soie verts, et des gants, avec un chapeau garni de plumes aurore et vert.»

Eudore Soulié, *Recherches sur Molière*, Hachette, 1863.

L'«habit» ainsi décrit comporte d'abord le «déshabillé» dont il est question à l'acte I, sc. 2 : l'indication de la couleur bleue *pour la camisole «de velours vert» doit être une erreur de l'huissier-priseur; l'*écharpe *servait sans doute de ceinture à la robe de chambre. Puis vient le costume du «Bourgeois vêtu à la turque». Enfin les* chausses de brocart *et tout ce qui suit devait accompagner l'«habit» apporté au Bourgeois à l'acte II, sc. 5, et qui manque dans cet inventaire.*

Éd. Imp. Nat., t. XI, p. 245, n. 1.

Hommes comme femmes soignent leur **coiffure** qui constitue une grande partie de leur parure. Pour les femmes en 1671, une coiffeuse à la mode, Mme Martin, lance la coiffure «hurlupée» ou à «l'hurluberlu». Partagés par une raie au milieu de la tête, les cheveux sont roulés en boucles serrées les unes contre les autres et retombent jusqu'aux épaules en plusieurs étages. Vers 1680, Mlle de Fontanges, amie de Louis XIV, lance une nouvelle mode : décoiffée par le vent au cours d'une promenade à cheval avec le roi, elle a vite ramené ses cheveux sur le sommet de sa tête et les a hâtivement noués d'un ruban. À partir de là s'élaborent des coiffures hautes, incommodes, véritables échafaudages, entassement de boucles et de tortillons, ornés d'un ruban. Ainsi naissent les modes... Ce n'est qu'en 1691 que le roi, lassé de ces «pièces montées» demandera aux femmes d'abandonner les hautes coiffures pour des coiffures plates. En 1694, l'auteur du *Traité contre le luxe des coiffures* se remémore les excès de cette mode :

> *«C'était une espèce d'édifice à plusieurs étages, fait de fil de fer, et sur lequel on plaçait différents morceaux de toile séparés par des rubans, ornés de boucles et de cheveux, et tout cela distingué par des noms si bizarres et si ridicules que nos neveux et la postérité auront besoin d'un glossaire pour expliquer les usages de ces différentes pièces et l'endroit où on les plaçait. Sans ce secours, qui pourrait savoir un jour ce que c'était que la* duchesse, *le* solitaire, *le* chou, *le* mousquetaire, *le* croissant, *le* firmament, *le* dixième ciel *et la* souris?»

Quant aux hommes, à partir des années 70, leurs têtes s'ornent de perruques monumentales, en cheveux ou en crin. La tête est d'ordinaire rasée; certains rechignent pourtant à se séparer de leur chevelure... Les perruquiers lancent à chaque saison des modes nouvelles de coiffure et... font fortune!
Hommes et femmes portent bien entendu chapeaux et coiffes

qui, eux aussi, suivent les caprices de la mode tout au long du règne.

On ne saurait rendre compte de l'aspect extérieur des «gens de qualité» sans dire un mot de l'hygiène de l'époque qui nous laisse rêveurs... Au XVIIe siècle, si, comme nous l'avons vu le costume, son choix, son élaboration et sa confection occupent beaucoup les esprits, il n'en va pas de même de la toilette qui prend fort peu de temps! Les soins de propreté et d'hygiène ne sont pas une préoccupation majeure. Les gens ont horreur de l'eau comme le montre cette recommandation de l'époque : «*Les enfants nettoyeront leur face et leurs yeux avec un linge blanc. Cela décrasse et laisse le teint et la couleur dans la constitution naturelle. Se laver avec de l'eau nuit à la vue, engendre des maux de dents et cathares, appâlit le visage et le rend plus susceptible de froid en hiver et de hasle en esté.*» De plus, les parfums ne sont-ils pas là pour chasser les mauvaises odeurs, les pastilles à l'anis pour embaumer l'haleine (en l'absence de toute hygiène dentaire...), et le fard pour cacher la saleté et rehausser le teint?...

(Pour ce thème de la mode, se référer au *Bourgeois Gentilhomme*, II, 5.)

La gastronomie

•

Il serait trop long de rendre compte ici de toutes les habitudes gastronomiques du XVIIe siècle, et nous nous contenterons de quelques rapides indications.

C'est au XVIIe siècle que **des breuvages nouveaux** font leur apparition en France, et en particulier le thé, le café et le chocolat. Le thé, mis à la mode vers 1659, est au départ un produit de haut luxe car son prix est très élevé (70 à 200 francs la livre selon sa provenance); en revanche, le chocolat, introduit en France à la même époque, est bon marché (6 francs la livre), et, de ce fait, son usage se répand largement. Certains accordent à cette boisson – le chocolat n'est alors consommé que sous forme liquide – des vertus curatives, d'autres la rendent responsable de tous les malaises. Mais c'est le café qui conquiert le plus rapidement les Français. Connu à Marseille dès 1664, c'est en 1669, avec l'arrivée du fameux ambassadeur turc Soliman Aga, qu'il devient d'un usage régulier. Sucré au miel, souvent parfumé à l'ambre, il apparaît agréable au goût. Son prix diminue régulièrement et en 1686, il ne coûte que 84 sous la livre. L'introduction de ces breuvages est à l'origine de la création de cafés, luxueux et mondains, où l'on se réunit pour les déguster. Procope, habile commerçant précurseur, fondera l'un de ces premiers cafés en 1702, face à la Comédie-Française.

En ce qui concerne **la table**, signalons l'abondance des viandes variées, bouillies pendant dix à douze heures (!), de poissons et de crustacés, de légumes, haricots, lentilles, fèves, asperges, oseille. Le légume dont on raffole parce qu'il vient d'être découvert est... le petit pois. Madame de Maintenon écrit en 1696 : *«Le chapitre des pois dure toujours : l'impatience d'en manger, le plaisir d'en avoir mangé et la joie d'en manger encore, sont les trois points que nos princes traitent depuis quatre jours.»* On aime les mets relevés avec force oignons, ail, échalotes. On fait une grande consommation de fruits, poires, pommes, oranges. Pour la boisson, on dispose de crus variés, ceux de Champagne et de Bourgogne étant les plus recherchés.
Ce qui différencie essentiellement cette alimentation de la nôtre, c'est d'une part son abondance (voyez dans *le Bourgeois Gentilhomme,* l'énumération des plats à la scène 1 de l'acte IV), et d'autre part l'aromatisation des plats à l'aide de parfums violents comme l'iris, l'eau de rose, le musc et l'ambre qui nous écœureraient probablement aujourd'hui.
Nous serions aussi fort surpris de constater comment l'on se tenait à table, même dans les maisons les plus raffinées. L'usage de la fourchette, introduite pourtant vers 1600, n'est pas courant. Louis XIV, par exemple, ne s'en servait pas. On mange avec les doigts et on déchire la viande à pleines dents. On lèche ses doigts et sa cuillère avant et après s'en être servi. En revanche, la table est dressée avec infiniment de soin : sur des nappes extrêmement fines repose une vaisselle de toute beauté, en argent ou en faïence ; les verres sont en cristal de Venise. Le maître d'hôtel fait plier les serviettes de cent façons différentes : en forme de lapin, de chien avec son collier, de poule avec ses poussins...
Ainsi les nuances de courtoisie et de goût les plus délicates ainsi que le savant agencement de la table se mêlent-ils aux gestes les plus malpropres. Dans ce domaine encore, l'hygiène est un mot fort méconnu...
(Pour ce thème de la gastronomie, se référer au *Bourgeois Gentilhomme,* IV, 1.)

La musique et la danse

•

Le roi voue une véritable passion à la musique et à la danse, aussi la musique est-elle présente partout : à l'église, à la Cour, dans les hôtels particuliers, aux bals champêtres, dans les tavernes. L'apprentissage de la musique fait obligatoirement partie de l'éducation des jeunes gens de la bonne société, et particulièrement de celle des jeunes filles. Les musiciens donnent des concerts chez eux, ils vont en donner à domicile chez les gens fortunés mais aussi et surtout, les plus talentueux sont invités par le roi, soit au Louvre, soit à Fontainebleau, où les salles leurs sont réservées, soit à Versailles où les concerts se déroulent un peu partout : dans le manège de la Grande Écurie, dans la cour de marbre et, naturellement, à l'intérieur du palais. Lully, surintendant de la musique et Couperin, assistés de musiciens attitrés passent la majeure partie de leur temps auprès du roi, composant et jouant pour son plaisir et celui de la Cour. Les musiciens du roi constituent des dynasties d'artistes, se transmettant leur savoir de père en fils, et la plupart du temps fidèles à un instrument, que ce soit le clavecin, la trompette, la flûte ou le hautbois.

«La musique et la danse, c'est là tout ce qu'il faut», dit le maître à danser du *Bourgeois Gentilhomme*. Ces deux arts sont en effet souvent associés et Louis XIV accordera à l'art de la danse une place très importante.

Nous avons déjà évoqué les ballets de Cour, auxquels le roi et toute la Cour participent en tant qu'exécutants jusqu'en 1670. C'est l'occasion pour chacun de faire preuve de créativité, de raffinement et d'adresse tant dans la préparation de la fête, l'élaboration du costume, l'apprentissage des rôles, que dans l'exécution même. En dehors de ces cérémonies très particulières, de grands bals sont donnés à la Cour et chez les nobles pour fêter un événement heureux et parfois même sans autre motif que le plaisir de danser. On danse, souvent masqué, le menuet, le branle, la pavane, la gigue, la passacaille ou la gaillarde. La plupart des enfants de la bonne société apprennent très jeunes à danser, à marcher en cadence et à faire la révérence, fréquemment utilisée au cours des danses lentes. La pratique de la danse et de la musique, au-delà du simple goût personnel, est à cette époque une véritable institution sous l'impulsion du roi et à la grande joie des courtisans. (Pour ces deux thèmes se référer au *Bourgeois Gentilhomme,* I, 1 et 2 - II, 1 et 2 - Intermèdes.)

L'INSTRUCTION ET LA PÉDAGOGIE

À travers *le Bourgeois Gentilhomme* se pose le problème de la culture et même des connaissances minimales des Français au XVIIe siècle. M. Jourdain sait, certes, lire et compter mais, au-delà de ces rudiments, il semble tout ignorer et n'a aucune culture. Quelle est donc la place de l'instruction au XVIIe siècle? Quelles sont les méthodes pédagogiques mises en œuvre? Pour débuter, un constat s'impose : en 1685, plus de 78 % des Français sont parfaitement analphabètes et les femmes sont beaucoup plus ignorantes que les hommes (86 % des épouses contre 71 % des époux). Dans l'ensemble, à niveau social comparable, les habitants de la ville ont un peu plus d'instruction que ceux de la campagne : le petit boutiquier ou l'artisan ont davantage besoin de rudiments que le paysan. Enfin, un petit nombre d'enfants privilégiés, grâce à des précepteurs puis au collège, acquièrent une solide culture.

L'instruction de la majorité des Français

•

Les enfants du peuple, petite bourgeoisie, artisans, ouvriers et paysans vont aux «petites écoles». À partir de 1698, une déclaration royale incite vivement les parents à envoyer leurs enfants à l'école : «Enjoignons à tous pères, mères, tuteurs et autres personnes qui sont chargées de l'éducation des enfants, et nommément de ceux dont les pères et mères ont fait profession de la religion prétendue réformée, de les envoyer auxdites écoles et au catéchisme, jusqu'à l'âge de quatorze ans.» Sous couvert d'instruction, il s'agit d'obliger les protestants convertis à s'initier à une culture catholique. L'enseignement primaire est en effet le domaine réservé du clergé et l'école sera un prolongement naturel de l'Église. Mais la fréquentation scolaire est très irrégulière : dans les campagnes, dès les beaux jours, les enfants doivent aller aider leurs parents aux travaux des champs. Les maîtresses sont généralement des religieuses et les maîtres le plus souvent laïcs. Mais le maître d'école est en fait l'auxiliaire du curé; l'évêque a le droit de le révoquer s'il n'offre pas toutes les garanties morales. Des témoignages de l'époque attestent cette polyvalence du maître d'école : «Les habitants nous ont dit qu'il est nécessaire de pourvoir dans ce lieu un maître d'école pour chanter à l'église, assister le sieur curé au service divin et à l'administration des saints sacrements, pour l'instruction de la jeunesse, pour sonner l'angelus du soir, le matin et le midi et à tous les orages qui se feront pendant l'année, puiser l'eau pour faire bénir tous les dimanches, balayer l'église tous les samedys, faire la prière tous les soirs depuis la Toussaint jusqu'à Pâsques.» Le maître n'a reçu aucune formation particulière et donne la primauté à l'instruction religieuse. Pour avoir le droit d'apprendre à lire en français, l'enfant doit avoir appris à lire le latin! Seules les méthodes d'enseignement individuel sont pratiquées, si bien que lorsque le maître s'occupe d'un enfant, les autres perdent leur temps... Aucune notion d'histoire ni de géographie n'est enseignée. En définitive, fort peu d'enfants parviennent à savoir lire et écrire; il ne leur reste de ces moments passés à l'école que quelques notions d'histoire sainte et de calcul. Seuls les plus intelligents, remarqués par le curé, et les plus fortunés auront accès à l'enseignement secondaire.

L'instruction des privilégiés

•

Pour la noblesse et la grande bourgeoisie, la question est simple : un précepteur vient à domicile enseigner les rudiments aux garçons jusqu'à l'âge où ils peuvent entrer au collège. Dans les villes, les collèges payants sont nombreux. Presque partout, l'enseignement est entre les mains des Jésuites, partisans d'une discipline morale et intellectuelle très stricte. Les adolescents (on entre au collège à 14 ans) ont la vie dure, spécialement les internes qui sont soumis aux châtiments corporels, reçoivent une nourriture frugale et n'ont qu'un mois de vacances en septembre.
Les élèves étudient principalement le latin et sont contraints de s'exprimer dans cette langue! Seules quelques notions de mathématiques, d'histoire, de géographie et de sciences sont dispensées. À vingt ans au plus tard, on quittera le collège. Les élèves les plus brillants et les plus fortunés poursuivront leurs études à l'université. Dans ces collèges, se côtoient des élèves de classes sociales différentes, fils de grands et petits bourgeois, de magistrats, voire de nobles. Par exemple, à Paris, au collège de Clermont, qui prendra le nom de Louis-le-Grand, Molière est le condisciple du prince de Conti, de fils de gentilshommes provinciaux mais également de fils de petits-bourgeois. Il est bien entendu hors de question, à cette époque, de trouver à ce niveau d'études des élèves de sexe féminin. Les filles de bourgeois et de nobles sont élevées dans des sortes de couvents, recevant un enseignement presque exclusivement religieux.

L'instruction en France est donc encore très réduite, par le nombre et le sexe de ceux qui y accèdent, et par les matières qui sont enseignées; l'apprentissage du latin reste la base des connaissances et l'ouverture sur le monde extérieur est réduite. De cet enseignement sortent de bons prêtres, des gens de lettres et des magistrats érudits, mais les scientifiques, et en particulier les médecins, ont fort peu de connaissances pour exercer leur métier. Molière n'a d'ailleurs cessé dans son œuvre de dénoncer l'ignorance et la prétention de ces médecins latinisants mais incompétents (cf. *le Malade imaginaire* et *le Médecin malgré lui*).

QU'EST-CE QUE LE SNOBISME?

Il peut sembler anachronique de parler de snobisme concernant *le Bourgeois Gentilhomme,* puisque le mot n'est apparu qu'au siècle dernier en Angleterre. Pourtant ce qu'il représente s'adapte si bien au personnage de M. Jourdain que l'on peut dire que le héros du *Bourgeois Gentilhomme* était un snob avant l'heure.

Un peu d'étymologie : le mot snob entre dans la langue anglaise au XIXe siècle; il semble avoir deux origines. D'une part il signifie *«ouvrier cordonnier, savetier»* et *«sert à désigner, en argot de Cambridge celui qui n'appartient pas à l'université et donc est supposé vulgaire dans ses manières et dans ses goûts»* (Larousse). Ce n'est pas, comme on le croit généralement, *le Livre des snobs* de l'écrivain anglais Thackeray qui a introduit ce mot dans le langage ordinaire; cet auteur avait, dès 1829, collaboré à une petite revue humoristique et satirique intitulée *The snob.* À cette époque le snobisme était un mélange de badauderie, de fausse politesse et d'hypocrisie.

D'autre part, «snob» serait une abréviation de *sine nobilitate,* du latin «sans noblesse»; c'est ainsi que l'on désignait les jeunes bourgeois des universités aristocratiques d'Oxford et de Cambridge qui imitaient les manières de leurs camarades nobles (Quillet).

Ces deux origines ne sont pas contradictoires, elles ont pu s'influencer l'une l'autre et, quoi qu'il en soit, la définition française actuelle dérive du sens étymologique. Le snob est une *«personne qui cherche à être assimilée aux gens distingués de la haute société, en faisant étalage des manières, des goûts, des modes qu'elle lui emprunte sans discernement et sans besoin profond, ainsi que les relations qu'elle y peut avoir.»* (Robert).

Le snob est celui qui se détourne de sa véritable origine, perdant ainsi son naturel, dans le sens original de «ce qui est conforme à sa nature». Le snobisme naît de l'envie, du désir de s'intégrer à un groupe social dont on est exclu mais auquel on se croit capable ou digne d'appartenir. Ce rêve, souvent illusoire, a deux conséquences majeures. D'une part, le snob singe ceux qu'il admire, calque son comportement sur eux, sans bien en comprendre ni les origines ni les obligations, commettant ainsi nombre d'impairs et de bévues; d'autre part, le snob éprouve une sorte de honte vis-à-vis de tout ce et ceux qui le rattachent à son milieu d'origine qu'il renie parfois vigoureusement.

Pour intégrer une société dont il est exclu, il s'exclut lui-même de celle dont il est issu.

En quoi M. Jourdain est-il un snob, quelles sont les manifestations et les conséquences de son comportement?

M. JOURDAIN : JE SUIS SNOB... SANS LE SAVOIR

Si M. Jourdain fait de la prose sans le savoir, l'on pourrait dire de la même manière qu'il est snob... sans le savoir, et cela à double titre.

Un décalage entre les désirs et les capacités

•

Pour devenir un gentilhomme, M. Jourdain tente de calquer son mode de vie sur ceux qu'il admire sans bornes et sans discernement, à savoir les «gens du qualité». Cette expression revient comme un leitmotiv* dans sa bouche et la seule assurance que les gens de qualité ont tel ou tel comportement le pousse à adopter le même : «Je me fais habiller aujourd'hui comme les gens de qualité»; *«Est-ce que les gens de qualité apprennent aussi la musique?»* (I, 2); *«Est-ce que les gens de qualité en ont?»* (des concerts de musique) (II, 3); *«Je suis amoureux d'une personne de grande qualité»* (II, 4); *«Voilà ce que c'est de se mettre en personne de qualité»* (II, 5). Comment espère-t-il devenir lui-même une «personne de qualité»?

D'abord **par le raffinement**. Ainsi s'entoure-t-il de maîtres de musique et de danse dont il attend qu'ils soient les maîtres d'œuvre des concerts et ballets qu'il entend faire donner chez lui, mais également qu'ils l'instruisent. Il pourrait ainsi être capable de danser et de chanter, devenant de ce fait non seulement spectateur mais également acteur sur la grande scène de la mascarade des gens de qualité. Or il se montre fort peu habile, inapte même à imiter les maîtres, comme en attestent ses tentatives gauches et ses maladresses. Il ne parvient pas à exécuter devant Dorimène (III, 16) la révérence qu'il a apprise du maître à danser (II, 1). Mais surtout, il n'écoute absolument pas les remarques des maîtres et ne se plie pas au jeu pédagogique. Loin d'être un élève docile, s'il semble entendre les remarques de ses maîtres, il ne les écoute pas et ne les met nullement en pratique. Il n'a pas conscience de ce que sont le travail et l'effort et voudrait savoir immédiatement, avant même d'avoir appris. Son absence de dons naturels, son impatience, et surtout sa vanité l'empêchent de progresser. Enfin, il est bien incapable de juger ce qui est véritablement de bon goût et son autoritarisme le prive de

jamais le savoir. Ainsi le prouve son intervention lors de l'élaboration du concert; il veut ajouter aux autres instruments une trompette marine, instrument fort discordant dont il trouve pourtant le son *«harmonieux»* (II, 1).
M. Jourdain pense que l'habit fait le moine ou du moins contribue à le faire! Il veut être vêtu comme les gens de qualité et se fait conseiller par un tailleur qui l'abuse, lui fait confectionner des habits qui ne sont pas à sa taille, et n'a pour but que de tirer le parti maximum de son client. Même si celui-ci émet des doutes quant à l'habileté et l'honnêteté de l'artisan (II, 5), l'assurance que son habit est la réplique de ceux des gens de qualité le contente; d'autant plus que, lié à sa nouvelle apparence, s'élève un concert de ce que M. Jourdain considère comme la gloire suprême : les garçons tailleurs lui donnent du *Mon gentilhomme, Monseigneur, Votre Grandeur*. Il ne vient pas à l'esprit de notre bourgeois que seul l'appât du gain motive ce déferlement de flatteries, ce raz de marée de faux titres!
M. Jourdain est toujours représenté habillé de façon ridicule et peu adaptée à sa personne, un peu comme l'est le client du tailleur dans le sketch de Fernand Raynaud. Le fou rire de Nicole à la vue de son maître à la scène 2 de l'acte III prouve le ridicule de cet habillement qui tient, semble-t-il, du déguisement. Mais notre bourgeois ne sent pas ce ridicule car il a reçu des maîtres la confirmation de la qualité de sa mise extérieure. De même ne saisira-t-il pas tout le ridicule lié au véritable déguisement qu'on lui fait revêtir pour devenir Mamamouchi, malgré les exclamations méprisantes de ses proches, et en particulier de sa femme et de sa fille. *«Ah mon Dieu! Miséricorde! Qu'est-ce que c'est donc que cela? Qui vous a fagoté comme cela?»* (V, 1); *«Comment, mon père, comme vous voilà fait! est-ce une comédie que vous jouez?»* (V, 5).
Les tentatives de M. Jourdain pour devenir un être «raffiné» sont, comme nous venons de le constater, vouées à l'échec, mais il n'en a nullement conscience car son univers intime n'est fait que d'apparences, ce qui fait que ses croyances ne sont qu'illusions et ses rêves des chimères.

Par la maîtrise des armes et la capacité à défendre son honneur, ensuite. M. Jourdain ne semble pas non plus être très doué dans le maniement des armes. Là encore, les mises en scène accusent volontairement la maladresse du bourgeois, et révèlent par une balourdise criarde son manque de dextérité, à la scène 2 de l'acte II. Les flatteries des maîtres suffisent une fois de plus à satisfaire l'apprenti gentilhomme : *«Vous faites des merveilles»* (II, 2). L'on pourrait supposer que M. Jourdain veut apprendre à manier le fleuret pour la beauté et le plaisir mais également pour savoir se défendre; ce désir d'apprentis-

sage serait la preuve d'un certain courage et d'une certaine grandeur d'âme. Mais dans sa naïveté désarmante, il révèle lui-même que sa motivation... c'est la poltronnerie : *«De cette façon donc, un homme, sans avoir du cœur, est sûr de tuer son homme, et de n'être point tué?»* (II, 2).
Nous sommes loin du gentilhomme fier et prêt à risquer sa vie pour préserver ou venger son honneur. En M. Jourdain point de Rodrigue; notre homme n'a pas l'étoffe d'un «héros».

Par la culture, enfin. À l'arrivée du maître de philosophie et bien que la vanité et la bêtise de notre bourgeois apparaissent de façon limpide, nous pouvons espérer qu'il a trouvé un guide qui le mènera sur la voie de la sagesse, et qu'il est disposé à recevoir un certain enrichissement intellectuel. De même, lorsqu'il veut parfaire le «compliment» qu'il destine à la marquise Dorimène, l'on peut s'attendre à ce qu'il écoute les conseils d'un spécialiste. Mais dans le domaine culturel où le paraître a moins de place, M. Jourdain ne se montre pas à la hauteur non pas de ses ambitions car il n'en a pas réellement, mais plutôt de ses prétentions; notre «faux» héros se bloque encore une fois et ne manifeste que du désintérêt, voire du mépris pour tout ce qui pourrait le mener à devenir en profondeur une personne «de qualité». Au-delà d'une paresse intellectuelle évidente, c'est plutôt d'une lourdeur d'esprit qui confine à la bêtise dont il fait preuve. L'ignorance est toujours excusable; ce qui l'est moins c'est de ne pas ressentir le désir de la combler et de progresser. M. Jourdain ne cherche pas même à acquérir ce «vernis culturel» qui lui permettrait de briller superficiellement dans les salons; il croit avoir accédé à une culture et avoir décelé en lui-même une intelligence innée, alors qu'il n'a découvert que des évidences, ou tout au plus la définition du mot «prose» : *«Par ma foi! il y a plus de quarante ans que je dis de la prose sans que j'en susse rien, et je vous suis le plus obligé du monde de m'avoir appris cela.»* (II, 4). De même, il ne perçoit pas la platitude du compliment qu'il destine à Dorimène et ne saisit pas que les métaphores qu'on lui propose pour l'enrichir sont de celles qui pourraient toucher la «précieuse» marquise.

Trois conclusions apparaissent à l'issue de l'étude de ce décalage entre les apparences et la réalité.
Ces simulacres de leçons ne sont en fait qu'un moyen : non pas de devenir en profondeur une personne de qualité – si tant est que cela soit possible – mais d'impressionner une personne de qualité, la marquise Dorimène, et de lui donner l'illusion que tous deux appartiennent au même monde. Les maîtres sont surtout là, les uns pour agencer le concert et enseigner la

révérence, les autres pour aider à la rédaction d'un compliment.
Mais de ces leçons, il ne tire aucun profit car il est indocile et ne tient pas compte des observations qui lui sont faites. En fait l'enseignement qu'il recherche ne vise qu'à la conquête d'une femme, et surtout d'une marquise. Plus qu'objet d'amour, Dorimène représente pour M. Jourdain un moyen de côtoyer une personne de qualité et peut-être de se faire anoblir; nous sommes bien loin, là encore, des grandes passions amoureuses. En M. Jourdain, point de Roméo, notre homme n'a pas l'étoffe d'un passionné.
Enfin, constatons que M. Jourdain n'abuse personne d'autre que lui-même. De ses proches, il ne reçoit ni l'admiration ni même l'assentiment qu'il escomptait; il déclenche plutôt le rire et le mépris : *«Vous êtes fou, mon mari, avec toutes vos fantaisies, et cela vous est venu depuis que vous vous mêlez de hanter la noblesse.»* (III, 3). Les maîtres prennent le parti de flatter et de ne pas contredire cet élève, bien indocile mais... riche. Certains tentent d'expliquer les tenants et aboutissants de leur art (I, 2, lignes 153 à 158), d'autres finissent par y renoncer et ne parviennent pas à masquer un agacement évident et une lassitude certaine qui feront conclure au maître à danser : *«C'est ce qu'il vous plaira. Allons.»* (I, 2), et s'interroger le maître de philosophie : *«Que voulez-vous donc que je vous apprenne?»* (II, 4). Enfin pour Dorimène, la principale intéressée, le personnage est très vite limpide : non pas qu'elle ait découvert ses intentions amoureuses qu'elle prend pour de la simple galanterie, mais parce que, fine, elle a tout de suite compris qu'elle avait affaire à un bourgeois stupide et peu raffiné. À Dorante qui lui dit en aparté : *«C'est un bon bourgeois assez ridicule, comme vous voyez, dans toutes ses manières»*, elle répond : *«Il n'est pas malaisé de s'en apercevoir»* (III, 16).
Mais pourquoi ces différents personnages entrent-ils tous finalement, dès le départ ou plus tardivement, dans le jeu de M. Jourdain? C'est parce que le snob, aveuglé par ses désirs, est prêt à tout pour les satisfaire et devient donc un personnage dont on peut tirer parti, à condition d'entretenir ses illusions. Chacun le comprend et finira par en profiter.

Un personnage dont on peut tirer parti

•

M. Jourdain, adoptant par là un comportement qui caractérise les «nouveaux riches», pense que l'argent lui permettra de tout obtenir et perd ainsi la notion de la réalité. Les autres personnages vont entrer dans son jeu, tous pour, de leur côté, obtenir ce qu'ils désirent, les uns de l'argent, les autres la réalisation de leurs désirs sentimentaux.

Si les maîtres se prêtent si volontiers aux caprices de leur élève, renonçant rapidement à jouer véritablement leur rôle de pédagogue, et acceptant de n'avoir que peu de satisfactions profondes, c'est peut-être parce qu'ils sont découragés par sa vanité et sa bêtise, mais c'est aussi parce qu'ils sont intéressés avant tout par l'argent. La conversation qui ouvre la pièce l'atteste : «*C'est un homme, à la vérité, dont les lumières sont petites, qui parle à tort et à travers de toutes choses, et n'applaudit qu'à contresens, mais son argent redresse les jugements de son esprit, il a du discernement dans sa bourse*», confesse le maître de musique (I, 1). Quant au tailleur, il ne se pose pas de questions, use et abuse de la confiance... et de la bourse de son client; il ne tient aucunement compte des remarques et protestations du bourgeois (II, 5).

Le «*grand seigneur éclairé*» est le type même du noble désargenté qui cherche par tous les moyens à faire financer des dépenses auxquelles il n'entend pas renoncer. Mais M. Jourdain n'a pas conscience d'être uniquement une «banque» pratique. Pour lui, Dorante est avant tout un noble, et représente le modèle vers lequel il tend. Courtisan titré, il gravite dans les milieux de la Cour. L'argent que le bourgeois prête au noble est une véritable monnaie d'échange, un échange de services. M. Jourdain espère de Dorante qu'il l'introduise à la Cour et l'aide ainsi à obtenir un titre de noblesse. Il se laisse bercer par cette illusion, comme en atteste la scène 4 de l'acte III; à Dorante, qui lui annonce, probablement faussement, «*Ma foi! monsieur Jourdain, j'avais une impatience étrange de vous voir. Vous êtes l'homme du monde que j'estime le plus et je parlais de vous encore ce matin dans la chambre du roi*», le bourgeois est prêt à vouer une reconnaissance éternelle, comme en témoigne son exclamation éperdue : «*Vous me faites beaucoup d'honneur, monsieur.* (À Mme Jourdain.) *Dans la chambre du Roi!*». Dorante a prononcé le «Sésame, ouvre-toi» qui déliera immédiatement la bourse de son créancier. L'espoir fou que caresse le bourgeois explique – sinon justifie – l'aveuglement dont il fait preuve à l'égard du grand seigneur, la confiance qu'il lui accorde et la façon inconsidérée avec laquelle il lui prête de l'argent. Jusqu'à la fin de la pièce, et malgré les tentatives de son entourage pour lui ouvrir les yeux («*Il vous sucera jusqu'au dernier sou*» dit Mme Jourdain à la scène 4 de l'acte III), il n'écoutera que les conseils de Dorante, se pliera à ses volontés et lui ouvrira sa bourse. Le noble désargenté trop content d'avoir trouvé ainsi une rente inépuisable entretient jusqu'au bout les illusions de M. Jourdain; le bourgeois est fasciné comme un insecte par la lumière venue du seigneur éclairé, autour de laquelle il virevolte; il finira par s'y brûler dès que le rideau sera baissé et que la réalité reprendra ses droits sur l'empire des illusions.

Point d'intérêt financier chez les autres personnages. S'ils ont refusé au début de la pièce de rentrer dans le jeu de M. Jourdain au nom de la vérité et de la réalité, c'est le besoin de voir leurs désirs contentés qui anime le jeu qu'ils sont obligés de jouer sur la scène des rêves du bourgeois. Pour réaliser leurs désirs profonds, réels et justifiés, il leur faut adhérer en apparence à ceux de leur mari, père ou maître. Pragmatiques, ils ont compris qu'il valait mieux tricher avec la réalité et entretenir les illusions, pour obtenir un résultat concret. Finalement la grande mascarade qui met un terme à la pièce leur donne l'occasion de voir leurs désirs réalisés mais aussi de se divertir aux dépens d'un homme tyrannique. Dorimène s'associera à cette farce par pur plaisir et pour soutenir ceux qu'elle juge sensés.

Tels sont les causes et les enjeux de ce «parcours initiatique» dans lequel notre bourgeois snob s'est engagé pour atteindre la condition de gentilhomme. De cette initiation, il sort seul, grand et magnifique perdant, dans son costume d'apparat, superbe Mamamouchi, dupe de tout le monde.

Pour prolonger cette étude du snobisme, nous vous proposons quelques textes, qui vous permettront de découvrir d'autres visages de snobs et de nouveaux riches. Peut-être certains de ces extraits vous donneront-ils envie de lire l'œuvre dont ils sont extraits.

AUTRES VISAGES DE SNOBS

XVIIe siècle

•

Dans les *Caractères,* La Bruyère réfléchit à l'évolution de la noblesse française au XVIIe siècle et porte des jugements souvent incisifs sur l'usurpation de titres par les bourgeois enrichis. Certains «Caractères» sont entièrement consacrés à ce thème et dévoilent le manège des parvenus qui imitent les nobles.

> *On ne peut mieux user de sa fortune que fait Périandre : elle lui donne du rang, du crédit, de l'autorité; déjà on ne le prie plus d'accorder son amitié, on implore sa protection. Il a commencé par dire de soi-même :* un homme de ma sorte; *il passe à dire :* un

homme de ma qualité; *il se donne pour tel, et il n'y a personne de ceux à qui il prête de l'argent, ou qu'il reçoit à sa table, qui est délicate, qui veuille s'y opposer. Sa demeure est superbe : un dorique règne dans tous ses dehors; ce n'est pas une porte, c'est un portique : est-ce la maison d'un particulier? est-ce un temple? le peuple s'y trompe. Il est le seigneur dominant de tout le quartier. C'est lui que l'on envie, et dont on voudrait voir la chute; c'est lui dont la femme, par son collier de perles, s'est fait des ennemies de toutes les dames du voisinage. Tout se soutient dans cet homme; rien encore ne se dément dans cette grandeur qu'il a acquise, dont il ne doit rien, qu'il a payée. Que son père, si vieux et si caduc, n'est-il mort il y a vingt ans et avant qu'il se fît dans le monde aucune mention de Périandre! Comment pourra-t-il soutenir ces odieuses pancartes*[1] *qui déchiffrent les conditions et qui souvent font rougir la veuve et les héritiers? Les supprimera-t-il aux yeux de toute une ville jalouse, maligne, clairvoyante, et aux dépens de mille gens qui veulent absolument aller tenir leur rang à des obsèques? Veut-on d'ailleurs qu'il fasse de son père un* Noble homme, *et peut-être un* Honorable homme, *lui qui est* Messire[2]?

La Bruyère, *Caractères*, (22, I).

1. *Billets d'enterrements* (Note de La Bruyère).
2. *Honorable homme* est, dans les contrats, le titre que prennent les petits bourgeois et les artisans; *Noble homme* précède le nom des bourgeois considérables; *Messire* est réservé aux nobles, aux «gens de qualité».

XVIIIe siècle

•

Au début du XVIIIe siècle, l'écrivain Lesage publie *Turcaret*, dont le héros est un mélange d'Harpagon et de M. Jourdain : il aime passionnément l'argent mais veut aussi se distinguer et briller. Il est prêt à tout acheter, il fait bâtir hôtels et châteaux, et se lance à la conquête d'une baronne qu'il couvre de cadeaux. La parenté avec *le Bourgeois Gentilhomme* est évidente et la lecture de la pièce dans son intégralité est intéressante dans une perspective comparatiste. Nous vous en proposons un extrait révélateur.

M. TURCARET – *Je viens, madame, de vous acheter pour dix mille francs de glace, de porcelaines et de bureaux. Ils sont d'un goût exquis : je les ai choisis moi-même.*

LA BARONNE – *Vous êtes universel, monsieur; vous vous connaissez à tout.*

M. TURCARET – *Oui, grâces au ciel; et surtout en bâtiments. Vous verrez, vous verrez l'hôtel que je vais faire bâtir.*

LA BARONNE – *Quoi! vous allez faire bâtir un hôtel.*
M. TURCARET – *J'ai déjà acheté la place, qui contient quatre arpents, six perches, neuf toises, trois pieds et onze pouces. N'est-ce pas là une belle étendue?*
LA BARONNE – *Fort belle.*
M. TURCARET – *Le logis sera magnifique. Je ne veux pas qu'il y manque un zéro ; je le ferais plutôt abattre deux ou trois fois.*
LA BARONNE – *Je n'en doute pas.*
M. TURCARET – *Malepeste! je n'ai garde de faire quelque chose de commun; je me ferais siffler de tous les gens d'affaires.*
LA BARONNE – *Assurément.*
M. TURCARET, voyant entrer le marquis – *Quel homme entre ici?*
LA BARONNE, bas – *C'est ce jeune marquis dont je vous ai dit que Marine avait épousé les intérêts. Je me passerais bien de ses visites, elles ne me font aucun plaisir.*

Lesage, *Turcaret,* (III, 3).

Voltaire dans un conte, *Jeannot et Colin,* montre les méfaits que la fortune peut produire sur les hommes, les amenant à snober, voire à renier leurs amitiés. Voici les premières lignes de ce court conte. Si vous voulez savoir comment s'achève l'histoire, recherchez-en la fin dans les œuvres de Voltaire.

Plusieurs personnes dignes de foi ont vu Jeannot et Colin à l'école dans la ville d'Issoire, en Auvergne, ville fameuse dans tout l'univers par son collège et par ses chaudrons. Jeannot était fils d'un marchand de mulets très renommé, et Colin devait le jour à un brave laboureur des environs, qui cultivait la terre avec quatre mulets, et qui, après avoir payé la taille, le taillon, les aides et gabelles, le sou pour livre, la capitation et les vingtièmes, ne se trouvait pas puissamment riche au bout de l'année.
Jeannot et Colin étaient fort jolis pour des Auvergnats; ils s'aimaient beaucoup, et ils avaient ensemble de petites privautés, de petites familiarités, dont on se ressouvient toujours avec agrément quand on se rencontre ensuite dans le monde.
Le temps de leurs études était sur le point de finir, quand un tailleur apporta à Jeannot un habit de velours à trois couleurs, avec une veste de Lyon de fort bon goût; le tout était accompagné d'une lettre à monsieur de La Jeannotière. Colin admira l'habit, et ne fut point jaloux; mais Jeannot prit un air de supériorité qui affligea Colin. Dès ce moment Jeannot n'étudia plus, se regarda au miroir, et méprisa tout le monde. Quelque temps après un valet de chambre arrive en poste, et apporte une seconde lettre à monsieur le marquis de La Jeannotière : c'était un ordre de monsieur son père de faire venir monsieur son fils à Paris. Jeannot monta en chaise en tendant la main à Colin avec un sourire de protection

assez noble. Colin sentit son néant et pleura. Jeannot partit dans toute la pompe de sa gloire.
Les lecteurs qui aiment à s'instruire doivent savoir que monsieur Jeannot le père avait acquis assez rapidement des biens immenses dans les affaires. Vous demandez comment on fait ces grandes fortunes? C'est parce qu'on est heureux. Monsieur Jeannot était bien fait, sa femme aussi, et elle avait encore de la fraîcheur. Ils allèrent à Paris pour un procès qui les ruinait, lorsque la fortune, qui élève et qui abaisse les hommes à son gré, les présenta à la femme d'un entrepreneur des hôpitaux des armées, homme d'un grand talent, et qui pouvait se vanter d'avoir tué plus de soldats en un an que le canon n'en fait périr en dix. Jeannot plut à madame; la femme de Jeannot plut à monsieur. Jeannot fut bientôt de part dans l'entreprise; il entra dans d'autres affaires. Dès qu'on est dans le fil de l'eau, il n'y a qu'à se laisser aller; on fait sans peine une fortune immense. Les gredins, qui du rivage vous regardent voguer à pleines voiles, ouvrent des yeux étonnés; ils ne savent comment vous avez pu parvenir; ils vous envient au hasard, et font contre vous des brochures que vous ne lisez point. C'est ce qui arriva à Jeannot le père, qui fut bientôt monsieur de La Jeannotière, et qui ayant acheté un marquisat au bout de six mois, retira de l'école monsieur le marquis son fils, pour le mettre à Paris dans le beau monde.
Colin, toujours tendre, écrivit une lettre de compliments à son ancien camarade, et lui fit ces lignes pour le congratuler.*Le petit marquis ne lui fit point de réponse : Colin en fut malade de douleur.* (À suivre...)

Voltaire, *Jeannot et Colin*, in *Romans et Contes*, Garnier-Flammarion, 1966, p. 283-284.

XIXe siècle

•

Le voyage de M. Perrichon, de Labiche, met en scène un homme d'affaires peu cultivé qui n'est pas sans rappeler M. Jourdain. Comme lui, il veut montrer que les mérites de son esprit valent bien ceux de son négoce. Ainsi M. Perrichon se laisse-t-il aller à des envolées lyriques lorsqu'il se lance dans des récits. Là encore, la lecture de la pièce dans son intégralité vous amusera certainement.
Voici un court extrait où le héros, M. Perrichon, singe les manières d'un homme du monde : il entreprend d'écrire ses impressions de voyage (alors que le voyage en question n'est pas encore commencé), sous le regard surpris de sa fille et au grand agacement de sa femme.

PERRICHON

Et mon panama?... Il est resté dans le fiacre! (Faisant un mouvement pour sortir et s'arrêtant.) *Ah! non! je l'ai à la main!... Dieu! que j'ai chaud!*

MADAME PERRICHON

C'est ta faute!... tu nous presses, tu nous bouscules!... je n'aime pas à voyager comme ça!

PERRICHON

C'est le départ qui est laborieux... Une fois que nous serons casés!... Restez là, je vais prendre les billets... (Donnant son chapeau à Henriette.) *Tiens, garde-moi mon panama...* (Au guichet.) *Trois premières pour Lyon?...*

L'EMPLOYÉ, brusquement.

Ce n'est pas ouvert! Dans un quart d'heure!

PERRICHON, à l'employé.

Ah! pardon! c'est la première fois que je voyage... (Revenant à sa femme.) *Nous sommes en avance.*

MADAME PERRICHON

Là! quand je te disais que nous avions le temps... Tu ne nous as pas laissé déjeuner!

PERRICHON

Il vaut mieux être en avance!... on examine la gare! (À Henriette.) *Eh bien! petite fille, es-tu contente?... Nous voilà partis!... encore quelques minutes, et rapides comme la flèche de Guillaume Tell nous nous élancerons vers les Alpes!* (À sa femme.) *Tu as pris la lorgnette?*

MADAME PERRICHON

Mais, oui!

HENRIETTE, à son père.

Sans reproche, voilà au moins deux ans que tu nous promets ce voyage.

PERRICHON

Ma fille, il fallait que j'eusse vendu mon fonds... Un commerçant ne se retire pas aussi facilement des affaires qu'une petite fille de son pensionnat... D'ailleurs, j'attendais que ton éducation fût terminée pour la compléter en faisant rayonner devant toi le grand spectacle de la nature!

MADAME PERRICHON

Ah! ça! est-ce que vous allez continuer comme ça?...

PERRICHON

Quoi?...

MADAME PERRICHON

Vous faites des phrases dans une gare!

PERRICHON

Je ne fais pas de phrases... J'élève les idées de l'enfant. (Tirant de sa poche un petit carnet.) *Tiens, ma fille, voici un carnet que j'ai acheté pour toi.*

HENRIETTE

Pour quoi faire?...

PERRICHON

Pour écrire d'un côté la dépense, et de l'autre les impressions.

HENRIETTE

Quelles impressions?...

PERRICHON

Nos impressions de voyage! Tu écriras, et moi je dicterai.

MADAME PERRICHON

Comment! vous allez vous faire auteur à présent?

PERRICHON

Il ne s'agit pas de me faire auteur... mais il me semble qu'un homme du monde peut avoir des pensées et les recueillir sur un carnet!

MADAME PERRICHON

Ce sera bien joli!

PERRICHON, à part.

Elle est comme ça, chaque fois qu'elle n'a pas pris son café!

UN FACTEUR, poussant un petit chariot chargé de bagages.

Monsieur, voici vos bagages. Voulez-vous les faire enregistrer?...

Labiche, *Le Voyage de M. Perrichon*, (I, 2).

XXe siècle

•

Au début du XXe siècle Marcel Proust écrit *Du côté de chez Swann*, dont voici un extrait; il s'agit du portrait de Legrandin, «snob honteux», beau parleur.

J'écoutais les paroles de M. Legrandin qui me paraissaient toujours si agréables; mais troublé par le souvenir d'une femme que j'avais aperçue dernièrement pour la première fois, et pensant, maintenant que je savais que Legrandin était lié avec plusieurs personnalités aristocratiques des environs, que peut-être il connaissait celle-ci, prenant mon courage, je lui dis : «Est-ce que vous connaissez, monsieur, la... les châtelaines de Guermantes?», heureux aussi en prononçant ce nom de prendre sur lui une sorte de pouvoir, par le seul fait de le tirer de mon rêve et de lui donner une existence objective et sonore.

Mais à ce nom de Guermantes, je vis au milieu des yeux bleus de notre ami se ficher une petite encoche brune comme s'ils venaient d'être percés par une pointe invisible, tandis que le reste de la prunelle réagissait en sécrétant des flots d'azur. Le cerne de sa paupière noircit, s'abaissa. Et sa bouche marquée d'un pli amer se ressaisissant plus vite sourit, tandis que le regard restait douloureux, comme celui d'un beau martyr dont le corps est hérissé de flèches : «Non, je ne les connais pas», dit-il, mais au lieu de donner à un renseignement aussi simple, à une réponse aussi peu surprenante le ton naturel et courant qui convenait, il le débita en appuyant sur les mots, en s'inclinant, en saluant de la tête, à la fois avec l'insistance qu'on apporte, pour être cru, à une affirmation invraisemblable – comme si ce fait qu'il ne connût pas les Guermantes ne pouvait être l'effet que d'un hasard singulier – et aussi avec l'emphase de quelqu'un qui, ne pouvant pas taire une situation qui lui est pénible, préfère la proclamer pour donner aux autres l'idée que l'aveu qu'il fait ne lui cause aucun embarras, est facile, agréable, spontané, que la situation elle-même – l'absence de relations avec les Guermantes – pourrait bien avoir été non pas subie, mais voulue par lui, résulter de quelque tradition de famille, principe de morale ou vœu mystique lui interdisant nommément la fréquentation des Guermantes. «Non, reprit-il, expliquant par ses paroles sa propre intonation, non je ne les connais pas, je n'ai jamais voulu, j'ai toujours tenu à sauvegarder ma pleine indépendance; au fond je suis une tête jacobine, vous le savez. Beaucoup de gens sont venus à la rescousse, on me disait que j'avais tort de ne pas aller à Guermantes, que je me donnais l'air d'un malotru, d'un vieil ours. Mais voilà une réputation qui n'est pas pour m'effrayer, elle est si vraie! Au fond, je n'aime plus au monde que quelques églises, deux ou trois livres, à peine davantage de tableaux, et le clair de lune quand la brise de votre jeunesse apporte jusqu'à moi l'odeur des parterres que mes vieilles prunelles ne distinguent plus.» Je ne comprenais pas bien que, pour ne pas aller chez des gens qu'on ne connaît pas, il fût nécessaire de tenir à son indépendance, et en quoi cela pouvait vous donner l'air d'un sauvage ou d'un ours. Mais ce que je comprenais, c'était que Legrandin n'était pas tout à fait véridique quand il disait n'aimer que les églises, le clair de lune et la jeunesse; il aimait beaucoup les gens des châteaux et se trouvait pris devant eux d'une si grande peur de leur déplaire qu'il n'osait pas leur laisser voir qu'il avait pour amis des bourgeois, des fils de notaires ou d'agents de change, préférant, si la vérité devait se découvrir, que ce fût en son absence, loin de lui et «par défaut»; il était snob.

Proust, *Du côté de chez Swann*, Librairie Gallimard, éditeur.

Boris Vian, romancier, musicien, auteur compositeur et interprète se moque dans la chanson intitulée *J'suis snob* du comportement des snobs qu'il a eu tout le loisir d'observer dans certains milieux de Saint-Germain-des-Prés à Paris.

J'SUIS SNOB

Refrain 1

J'suis snob... J'suis snob
C'est vraiment l'seul défaut que [j'gobe
Ça demande des mois d'turbin
C'est une vie de galérien
Mais quand j'sors avec Hildegarde
C'est toujours moi qu'on r'garde
J'suis snob... foutrement snob
Tous mes amis le sont, on est [snobs et c'est bon

Couplet 1

Chemis's d'organdi
Chaussur's de zébu
Cravat' d'Italie
Et méchant complet vermoulu
Un rubis au doigt
De pied! pas çui-là
Les ongles tout noirs
Et un très joli p'tit mouchoir.
J'vais au cinéma
Voir les films suédois
Et j'entre au bistro
Pour boir' du whisky à gogo
J'ai pas mal au foie
Personn' fait plus ça
J'ai un ulcère
C'est moins banal et plus cher

Refrain 2

J'suis snob... J'suis snob
J'm'appell' Patrick, mais on dit Bob
Je fais du ch'val tous les matins
Car j'ador' l'odeur du crottin
Je ne fréquent' que des baronnes
Au nom comm' des trombones
J'suis snob... Excessiv'ment snob
Et quand je fais l'amour, [c'est tout nu dans la cour.

Couplet 2

On se réunit
Avec les amis
Tous les vendredis
Pour fair' des snobisme-parties
Il y a du coca
On déteste ça
Et du camembert
Qu'on mange à la petit' cuiller
Mon appartement
Est vraiment charmant
J'me chauffe au diamant
On n'peut rien rêver d'plus fumant
J'avais la télé
Mais ça m'ennuyait
Je l'ai r'tournée
D'l'aut'côté c'est passionnant.

Refrain 3

J'suis snob... Ha! Ha!
J'suis ravagé par ce microbe
J'ai des accidents en Jaguar
Je pass' le mois d'août au plumard
C'est dans les p'tits détails [comm' ça
Que l'on est snob ou pas
J'suis snob... Encor plus snob que [tout à l'heure
Et quand je serai mort
J'veux un suair' de chez Dior!

Boris Vian, *coll. La Pochothèque, L.G.F., 1991, pp 1229-1230.*

ADULTÈRE

•

• **Dans la pièce** : M. Jourdain, bien qu'il soit marié, veut conquérir le cœur de Dorimène et faire d'elle sa maîtresse; cette situation, typique dans la comédie, donne lieu à un petit vaudeville* lorsque Mme Jourdain croit avoir démasqué son mari (IV, 2). Mais Dorante sauve la situation et désamorce ainsi la scène de ménage du couple. Cet amour à vocation adultère, n'avait, en tout état de cause, aucune chance d'aboutir et, bien qu'étant un des moteurs de l'intrigue, ne procédait que des désirs illusoires du héros.

• **Rapprochements** : lié à celui de l'amour, le thème de l'adultère, effectif ou seulement envisagé, est fréquent dans les comédies de Molière (*La Jalousie du Barbouillé, George Dandin*). Il est le thème principal des nombreux vaudevilles* des XIXe et XXe siècles, sous la plume de Labiche (*Un Chapeau de paille d'Italie*), Courteline (*Boubouroche*) ou G. Feydeau (*L'Hôtel du libre-échange*).

AMOUR

•

• **Dans la pièce** : quels que soient les personnages du *Bourgeois Gentilhomme*, ils ont un rapport avec l'amour, qu'ils en soient le sujet ou l'objet, que ce lien soit en train de se tisser ou en passe de se rompre, qu'il soit réciproque ou univoque, légitime ou adultère.

M. et Mme Jourdain : leur amour conjugal semble bien émoussé; chacun des époux exaspère l'autre et M. Jourdain s'engage sur la voie de l'adultère en tentant de conquérir la marquise Dorimène.

M. Jourdain et Dorimène : il s'agit là d'une apparence d'amour; le héros est surtout ébloui par le titre de noblesse de Dorimène; il lui fait une cour assidue mais maladroite, multipliant cadeaux, festins, concerts... et balourdises! Il veut lui plaire et, pour cela, apparaître digne d'elle. Elle-même ignore cet amour, car elle pense que Dorante est l'auteur de ces présents. Pour M. Jourdain, elle n'éprouve qu'indifférence condescendante qui touche au mépris et s'achève en une complaisance amusée, lorsqu'elle a définitivement compris que tous deux ne vivent pas sur la même planète... Animal de cirque, clown irrésistible, extra-terrestre bouffon, notre héros finit par l'amuser!

Dorante et Dorimène : leur amour est réciproque; il sera concrétisé à la fin de la pièce par une promesse de mariage. Pourtant ces beaux sentiments sont ternis aux yeux du spectateur par une certaine fausseté, non pas dans le but que poursuit Dorante mais dans les moyens qu'il utilise pour y parvenir. Il triche en se faisant passer, grâce à l'argent de M. Jourdain, pour un noble fortuné alors qu'il est totalement désargenté..

Cléonte et Lucile : leur amour est simple, franc et réciproque; une petite querelle, vite désamorcée, ne fait que renforcer leurs liens. Mais cet amour est contrarié par le non-consentement de M. Jourdain. L'ingéniosité du valet Covielle permettra à ces amoureux sincères de légitimer leurs sentiments.

Covielle et Nicole : ils sont le double du couple précédent; leur amour s'épanouit à l'ombre de celui de leur maître, connaissant les mêmes doutes vite écartés et le même achèvement dans la promesse de mariage.

Ainsi l'amour est-il bien à l'origine de la double intrigue de la pièce.

• **Rapprochements** : l'amour est le thème majeur de la création artistique en général... Il alimente la plupart des intrigues des pièces de Molière : amour contrarié par les parents, eux-mêmes en désaccord *(Les Femmes Savantes)*; simulacres d'amour, libertinage *(Tartuffe, Dom Juan, Le Misanthrope)*. Thème éternel, les dramaturges l'ont mis en scène autant dans des comédies (Marivaux : *La Double Inconstance, Le Jeu de l'amour et du hasard;* Musset : *Les Caprices de Marianne, On ne badine pas avec l'amour;* Beaumarchais : *Le Barbier de Séville*), que dans les tragédies (Racine : *Phèdre, Andromaque;* Corneille : *Le Cid*).

ARGENT

•

• **Dans la pièce** : *Le Bourgeois Gentilhomme* est une illustration des pouvoirs présumés de l'argent. La fortune n'est pas présentée comme une fin en soi – M. Jourdain, à l'opposé d'Harpagon, délie facilement sa bourse –, mais comme un moyen pour soutenir un train de vie. Celui de M. Jourdain d'abord qui, grâce à sa fortune, peut s'offrir des leçons particulières, des réceptions fastueuses, des toilettes grandioses; celui de Dorante auquel notre bourgeois prête l'argent nécessaire aux dépenses liées à la condition de courtisan. L'argent permet également de se faire des alliances : M. Jourdain, pense se faire de Dorante un ami aussi sûr que dévoué et plus, un allié dans son désir d'ascension sociale. De même, le Bourgeois compte éblouir Dorimène par la magnificence de ses cadeaux. Enfin, rappelons que Dorante se sert de l'argent de M. Jourdain pour, lui aussi, s'attirer les faveurs de Dorimène. Pourtant, le Bourgeois, même s'il est généreux et dépensier, a conscience de ce que représente l'argent et, à plusieurs reprises, il prouve qu'il en connaît la valeur, les pouvoirs et les risques. Il tient le compte très précis des dettes de Dorante (III, 4), et si, la tête tournée par les apostrophes des garçons tailleurs, il se montre fort généreux, il reprend ses esprits à la fin de la scène (II, 5).
• **Rapprochements** : au seul mot «argent», surgit à la mémoire le début de la tirade d'Harpagon dans *l'Avare* (IV, 6) : *«Au voleur! au voleur! à l'assassin! au meurtrier! Justice, juste Ciel! je suis perdu, je suis assassiné, on m'a coupé la gorge, on m'a dérobé mon argent. Qui peut-ce être? Qu'est-il devenu? Où est-il? Où se cache-t-il? Que ferai-je pour le trouver? Où courir? Où ne pas courir? N'est-il point là? N'est-il point ici? Qui est-ce?»* Si, dans cette pièce, le thème de l'argent est majeur, il est également présent dans d'autres comédies de Molière, où de nombreux personnages masquent leur appât du gain sous de beaux sentiments *(Les Femmes Savantes, Le Tartuffe)*. Après Molière, d'autres auteurs ont montré que la rapacité était un mobile fréquent des comportements humains, et que l'argent alimentait beaucoup de rêves en autorisant bien des débordements... (Lesage : *Turcaret;* cf. thème du Snobisme dans cet ouvrage).

DÉGUISEMENT/TRAVESTISSEMENT

•

• **Dans la pièce** : M. Jourdain, par deux fois, «se déguise», sans en avoir conscience. D'abord, lorsqu'il se fait habiller comme une personne de qualité, il prend des allures grotesques et son entourage ne manque pas de le lui faire remarquer. Ensuite, de façon plus évidente et plus outrée encore, il se laisse entraîner, avec une immense joie, dans une vaste mascarade au cours de laquelle il endosse le costume d'un Mamamouchi imaginaire. Deux autres personnages se déguisent dans la pièce, mais de façon délibérée et pour «la

bonne cause». Cléonte prend l'habit du fils du Grand Turc et Covielle celui de son ambassadeur. Le déguisement est ici essentiel car lui seul rend le dénouement possible. Une autre forme de travestissement apparaît dans la pièce, déguisement plus grave, même s'il est traité sur le mode comique*; il s'agit de celui de l'âme, c'est-à-dire de l'hypocrisie qui est celle des maîtres mais surtout de Dorante.
Ce thème est donc fondamental ici. N'oublions pas qu'à l'origine, le but du *Bourgeois Gentilhomme* était de se «venger» des Turcs en les ridiculisant, Louis XIV avait demandé *«qu'il y entre quelques turqueries.»!*

• **Rapprochements** : Molière affectionne particulièrement ce thème et, au-delà, ce ressort du comique*. Lui-même aimait tant à se travestir, à «changer de peau» comme tout comédien... dont c'est finalement le métier! Dans ses comédies, beaucoup de personnages se déguisent, en valet, en maître, en médecin surtout *(Le Malade Imaginaire, Le Médecin malgré lui, Amphitryon).* Les dramaturges* ont dans l'ensemble exploité ce procédé jusqu'à en faire parfois le thème même de leur pièce : Corneille, *L'Illusion Comique;* Marivaux, *La Double Inconstance;* Beaumarchais, *Le Mariage de Figaro.*

LANGAGE

•

• **Dans la pièce** : le langage est dans *le Bourgeois Gentilhomme* à la fois moyen et fin en soi. C'est tout d'abord un moyen de révéler la condition sociale, et, plus largement, le caractère d'un personnage. Dorimène, par la préciosité et le raffinement de son langage, atteste son titre de marquise cultivée, sensible au bon goût. Dorante a conscience des pouvoirs du langage et sait par un discours flatteur et prometteur charmer ceux dont il veut obtenir quelque chose, que ce soit l'amour ou l'argent. Il se montre persuasif et convaincant puisqu'il parvient à gagner sur les deux tableaux; son esprit d'à-propos, servi par une aisance verbale évidente, le rend maître du jeu qu'il mène avec adresse. Seules Mme Jourdain et Nicole ne se laissent pas prendre à ces apparences et n'accordent aucune confiance à ce beau parleur (III, 4 et 5). En effet la femme de notre bourgeois, par ses paroles efficaces, voire rudes, sans fioritures autres que des dictons ou des images employées fort à propos *(«Il le gratte par où il se démange»,* III, 4), se révèle être une femme de caractère, lucide, ferme, droite, ancrée dans la réalité. Le langage de Nicole et de Covielle, direct et imagé, est celui de deux êtres francs au bon sens populaire, à l'esprit vif; leur façon de s'exprimer est typiquement celle des valets et servantes de comédie. Lucile et surtout Cléonte ont eux aussi un langage franc mais châtié : il est révélateur de jeunes gens honnêtes, socialement aisés, et aux aspirations simples mais profondes et authentiques (III, 12). Dans les scènes du double dépit amoureux (III, 9 et 10), les interventions en écho des maîtres et des valets attestent que si le but recherché est commun (l'amour), ses manifestations, ses témoignages comme sa formulation diffèrent. Le langage apparaît également ici comme une source de comique*. Enfin, en ce qui concerne M. Jourdain, le langage traduit au sens propre du terme, non sa pensée, mais ses aspirations. Le bourgeois enrichi se révèle à chaque phrase en rendant évidents sa prétention, son autoritarisme, son mauvais caractère, son ignorance, sa bêtise, mais aussi son aspect pitoyable et finalement sympathique. Du raffinement vers lequel il tend, point de trace,

puisque ses «exercices de style» sont loin d'être empreints de la subtilité et de l'aisance qui caractérisent le discours des «gens de qualité». Ses tentatives ne font qu'accentuer sa lourdeur et sa maladresse, par exemple lorsqu'il s'empêtre dans son compliment à Dorimène (III, 16).
Mais dans *le Bourgeois Gentilhomme* le langage n'est pas seulement un moyen de révéler les personnages; il se présente également comme une fin en soi. L'amour de Molière pour les mots, son adresse à les manier transparaît à travers une forme de métalangage, c'est-à-dire un discours sur le langage lui-même qui devient sujet d'étude... sous le signe du rire bien entendu! M. Jourdain découvre la phonétique en apprenant le fonctionnement de la prononciation des lettres. Cette simple prise de conscience prend des allures de révélation sans prix aux yeux de notre bourgeois tout ébaubi d'une telle conceptualisation de mécanismes simples! (II, 4). De même, son initiation à une langue étrangère, ou tout au moins à ce qu'il croit en être une, suscite en notre héros un sincère étonnement qui se double d'une véritable jubilation pseudo-intellectuelle (IV, 3 et 4, V, 1). Certains héros se font berner par un langage ou une langue auxquels ils n'entendent rien, précisément parce qu'ils ne les comprennent pas. L'étrangeté du langage devient un gage de crédibilité. Ainsi en est-il dans *le Malade Imaginaire* de Argan qui croit en la bonne parole des médecins parce qu'ils parlent en latin et que lui-même ne comprend pas le sens des paroles qu'ils prononcent.

• **Rapprochements** : les particularismes de langue, les patois, les tics de langage ont fourni à Molière de belles et fréquentes occasions de faire rire. Martine, la servante des *Femmes Savantes*, parce qu'elle ne maîtrise pas la grammaire se fait tancer et même renvoyer par sa maîtresse! Ionesco dans *La Cantatrice chauve* dénonce la vanité du langage avec ses formules toutes faites.

MARIAGE

•

• **Dans la pièce** : au début du *Bourgeois Gentilhomme*, un seul couple est légitimement marié : M. et Mme Jourdain. L'intrigue repose sur le désir de mariage de Cléonte et Lucile, approuvé par Mme Jourdain, adjuvante*, mais contrarié par le non-consentement de M. Jourdain, opposant* : son gendre potentiel n'est pas gentilhomme! Dorante espère épouser Dorimène et, au début de la pièce, il n'a pas encore le consentement de la jeune veuve : M. Jourdain, parce que Dorante joue un double jeu, semble un obstacle de taille. À la fin de la pièce tous ces mariages semblent en excellente voie, même s'ils n'ont pas lieu sur scène. M. Jourdain n'est plus un obstacle pour les jeunes couples : c'est lui qui autorise, encourage le mariage qu'il refusait, impose même Cléonte, sous les habits du fils du Grand Turc, à sa fille, et Covielle, sous ceux de l'ambassadeur turc, à Nicole. Enfin, il pense que le projet de mariage entre Dorante et Dorimène n'est qu'un simulacre pour apaiser les soupçons et le courroux de sa femme.

• **Rapprochements** : les expressions *«ils se marièrent et eurent beaucoup d'enfants»*, ou bien *«tout finit par un mariage»*, prouvent à quel point le mariage est un thème classique dans la littérature et spécialement au théâtre. On le retrouve dans toutes les pièces de Molière, juste évoqué ou au centre de l'action (*George Dandin, L'École des Femmes, Dom Juan, Les Fourberies de Scapin*). Les mêmes implications se retrouvent siècle après siècle, en particulier dans l'opposition entre mariage d'amour et mariage d'intérêt, et dans celle entre inconstance et fidélité (Marivaux : *Le Jeu de l'amour et du hasard;* Beaumarchais : *Le Mariage de Figaro;* Giraudoux : *Ondine*).

PÉDAGOGIE

•

• **Dans la pièce** : la pédagogie est l'art d'allier le savoir-faire au faire-savoir. Un pédagogue, pour être digne de ce nom, doit certes posséder les connaissances, l'expérience et les compétences nécessaires, mais il doit aussi être en mesure de transmettre cet acquis. Peut-on parler de réelle pédagogie dans *Le Bourgeois Gentilhomme?*
On est en droit d'en douter en observant l'attitude et les méthodes des quatre maîtres : de danse, de musique, d'armes et de philosophie. Les maîtres de musique et de danse ne semblent pas au départ avoir la même conception de leur tâche ; pour le premier, les aptitudes et la réussite de l'élève n'ont que peu de poids en regard de ses capacités... à payer (I, sc. 1, lignes 27 à 29, 56 à 59, 72 à 74). Le second, en revanche, n'est pas indifférent à la compétence, aux progrès et au goût de son élève, de qui il attend des satisfactions autres que financières (I, sc. 1, lignes 35 à 45, 67 à 69). Mais ces scrupules louables semblent n'être qu'un discours purement formel puisque, dès que M. Jourdain entre en scène, les deux maîtres rivalisent de flatterie et incitent ensemble notre bourgeois à «se cultiver», alors qu'ils connaissent l'étendue de son incompétence. En fait, leur rôle auprès de M. Jourdain est, tout comme celui des maîtres d'armes et de philosophie, très limité. C'est que leur élève, borné et autoritaire, loin de vouloir progresser, n'attend d'eux que le minimum pour pouvoir briller, superficiellement... et maladroitement! Cela dit, ils n'insistent pas beaucoup et témoignent plutôt d'un agacement et d'une lassitude certains. La dispute qui les oppose tous les quatre prouve leur vanité, penchant fâcheux pour un bon pédagogue, et leur manque de professionnalisme : ils en viennent à oublier leur élève qui en est réduit à jouer un rôle d'arbitre (II, 3). De l'ordre de la parodie* sont les velléités pédagogiques de M. Jourdain lui-même. Il veut faire étalage de sa science toute fraîche auprès de sa femme et de sa servante. Le résultat n'est pas probant : il se trompe – *«Tout ce qui n'est point prose n'est point vers.»* (III, 3) –, s'énerve, et ne retient pas l'attention de ses «élèves» qui ne comprennent rien! (III, sc. 3)
• **Rapprochements** : la pédagogie réelle de maître à élève n'est pas un thème fréquent chez Molière, mais on la retrouve sous forme de «leçons» données par la maîtresse à sa servante, comme dans *les Femmes Savantes* (II, 6) où Philaminte tente en vain de corriger les fautes de grammaire que Martine commet en parlant. Ionesco, lui, en a fait le thème d'une de ses premières pièces, *La leçon,* où un professeur timide et bégayant domine peu à peu et finit par tuer son élève, une jeune fille sotte et innocente.

QUERELLE

•

• **Dans la pièce** : quatre querelles jalonnent *le Bourgeois Gentilhomme.* D'eux d'entre elles pourraient donner à la pièce une nuance tragique mais cette perspective est vite écartée et l'on peut dire que toutes les querelles sont des ressorts du comique.
– La scène de ménage : elle gronde tout au long de la pièce. Désaccords,

insinuations, reproches, apostrophes méprisantes rendent les rapports entre les époux électriques; la foudre finit par tomber à la scène 2 de l'acte IV, lorsque Mme Jourdain croit avoir découvert que son mari cherche à la tromper. Ce n'est pas la nostalgie devant les vestiges d'un amour passé qui est responsable de l'animosité constante entre les époux. Ce sont leurs conceptions de la vie même qui sont aux antipodes : Mme Jourdain est aussi réaliste, lucide et simple que son mari est aveugle, victime de ses illusions et de ses ambitions. La pièce les met en scène à un moment où l'attitude de M. Jourdain peut entraîner de graves conséquences pour l'avenir de Lucile. Et c'est à l'acte V que l'orage éclate réellement lorsque M. Jourdain annonce qu'il a choisi son gendre sans l'accord de sa femme ni de sa fille... Le dénouement amènera une embellie dès que Mme Jourdain aura découvert la ruse de Covielle!

– Le dépit amoureux : les couples d'amoureux Cléonte/Lucile et Covielle/Nicole semblent en péril aux scènes 8, 9 et 10 de l'acte III. À la suite d'un quiproquo qu'ils élucideront plus tard, les amoureux se battent froid, se mettent en colère, se lamentent... pour mieux se réconcilier à la fin de la scène 10. Molière nous offre un concert à quatre voix modulant sur le thème des affres de l'amour, empreint de la finesse, du charme, de la délicatesse et de l'humour nécessaires à l'orchestration d'un tel sujet.

– La querelle entre le maître et sa servante : elle est typique de l'univers moliéresque. M. Jourdain n'arrive pas à se faire obéir de Nicole parce que, comme nombre de servantes de Molière, elle incarne des valeurs aux antipodes de celles de son maître. Elle se moque de lui ouvertement, en proie à un fou rire incontrôlable (III, 2), formule des condamnations catégoriques sur ses agissements (III, 3), et, poussée par Mme Jourdain, espionne son maître (III, 8). Ce dernier s'époumone, s'emporte et lui donne un soufflet, mais reste finalement bien impuissant devant la force que représente la coalition des femmes!

– La querelle des «maîtres» : deux scènes opposent quatre maîtres les uns aux autres, querelle née de leur vanité et de leur pédantisme démesurés. Elle engendre une violence verbale qui les mène tout naturellement à la violence physique.

• **Rapprochements** : les comédies abondent en querelles de tous genres qui ont souvent les mêmes origines et les mêmes formes qu'ici, en particulier dans *les Femmes Savantes* où Philaminte se querelle avec sa servante Martine et où les époux sont en perpétuelle opposition, même si Chrysale file doux devant sa femme. Les querelles grondent ou éclatent également dans *le Misanthrope* ou *le Malade Imaginaire.* Beaumarchais lui aussi met en scène des querelles entre amoureux, entre autres dans *le Mariage de Figaro,* Marivaux dans *le Jeu de l'amour et du hasard,* Musset dans *les Caprices de Marianne.* Enfin dans le théâtre de boulevard, la querelle entre époux est une des sources de comique* récurrente (Feydeau, *L'Hôtel du libre-échange, Un fil à la Patte;* Courteline, *La paix chez soi*).

TRICHERIE

•

• **Dans la pièce** : dans *le Bourgeois Gentilhomme,* tous les personnages sans exception trichent, mais pour de plus ou moins louables causes. Dorante semble le maître en la matière puisqu'il joue d'un bout à l'autre de la pièce un double jeu. Il trompe M. Jourdain en lui faisant miroiter la conquête de Dorimène et se sert de lui pour éponger ses dettes et financer les cadeaux qu'«il» offre à la marquise. Il abuse Dorimène en lui faisant croire qu'il est fortuné, capable de lui offrir une vie luxueuse dont elle a déjà vu les premiers effets. M. Jourdain fait tout pour tromper sa femme, dans le sens propre du terme, et, au-delà, son monde, en voulant paraître ce qu'il n'est pas. Si Mme Jourdain, Cléonte, Lucile, Nicole, Covielle, Dorante et Dorimène, c'est-à-dire tous les personnages essentiels, masquent eux aussi la vérité, c'est aux dépens de M. Jourdain, en participant à la mascarade turque, entretenant les illusions de notre bourgeois. De plus, c'est pour la bonne cause, le mariage de Lucile et Cléonte, qu'ils participent au mensonge. M. Jourdain incarne bien ici le «trompeur trompé»!

• **Rapprochements** : le thème de la tricherie, du mensonge, et plus largement de l'hypocrisie est presque une obsession pour Molière; dans *Dom Juan* il met en scène un homme qui trompe toutes les femmes, dans *le Tartuffe*, un faux dévot, et dans *le Médecin malgré lui*, un faux médecin. La plupart des comédies de Marivaux reposent sur une sorte de tricherie, les personnages masquant ou interchangeant leur identité *(La Fausse Suivante, La Double Inconstance, Les Fausses Confidences)*.

VALETS/MAÎTRES

•

• **Dans la pièce** : Covielle est le valet fidèle et dévoué de Cléonte; grâce à son ingéniosité, il sort son maître d'une situation qui paraissait bien bloquée. Tous deux forment un véritable duo et conjuguent leurs talents de comédiens pour tromper M. Jourdain. La fonction de Nicole est plus complexe, car elle est la servante principalement de M. et Mme Jourdain, mais également de leur fille Lucile. Elle est complice des femmes, embrassant comme elles le parti du bon sens, d'autant plus qu'elle aime Covielle et espère l'épouser en même temps que Lucile s'unira à Cléonte.

• **Rapprochements** : le couple valet/maître est une des grandes traditions de la comédie, classique ou non. Ce duo est uni par des relations de complicité qui sont parfois complexes comme le sont celles qui lient Dom Juan et Sganarelle dans *Dom Juan*. Le valet peut également être l'allié d'un autre personnage et chercher à abuser son vieux maître comme Scapin dans *les Fourberies de Scapin*. Complices ou adversaires, maîtres et valets dans leurs relations sont toujours à l'origine de ruses, de dialogues qui suscitent le rire. Ainsi en est-il dans les pièces de Beaumarchais *(le Mariage de Figaro)*, de Marivaux *(le Jeu de l'amour et du hasard)*, de Goldoni *(Arlequin, valet de deux maîtres)* ou de Brecht *(Maître Puntila et son valet Matti)*. Signalons, pour terminer, que dans la tragédie, ce couple maître/valet fait place au couple héroïne/confidente ou héros/confident.

LEXIQUE DU XVIIe SIÈCLE

Camisole : veste courte à manches que l'on portait sous ou sur la chemise.

cadeau : divertissement, petite fête (concerts, bals, repas...).

caquet : commérages, racontars. Le caquet désigne au sens propre le cri de la poule qui pond.

céans : ici, à la maison.

chansons : propos sans intérêt, balivernes.

commerce : relations.

entendre : comprendre.

figure : aspect extérieur.

galant : élégant, raffiné.

galanterie : élégance, raffinement.

pendarde : qui est si mauvaise qu'elle mérite d'être pendue.

quérir : chercher.

tantôt : bientôt, tout à l'heure.

tout à l'heure : tout de suite.

tenir : retenir.

visions : idées extravagantes, folles.

LEXIQUE STYLISTIQUE

adjuvant : êtres ou objets qui peuvent contribuer à aider le héros dans son action (en général ce mot sert à désigner des personnages).

aparté : au théâtre, paroles qu'un personnage prononce à part, pour lui et que seul le spectateur est censé entendre.

anaphore : figure de style qui consiste à reprendre le même mot ou la même expression au début de plusieurs membres de phrases qui se suivent.

champ lexical : ensemble de mots apparentés par une ou plusieurs notions qui leur sont communes; par exemple les mots flamme, braise, incendie, brûler, font partie du champ lexical du feu.

comique : qui fait rire; il existe plusieurs formes de comique
- le comique de gestes : gifles, chutes, coups de bâton, batailles, poursuites...
- le comique de mots : onomatopées, calembours, langage technique, confusion sur le sens des mots, mots déformés, répétition de mots ou de phrases...
- le comique de situation : malentendus, quiproquos, irruptions brutales, départs précipités, rencontres inopportunes, face-à-face non prévus...
- le comique de caractère : peinture des personnages de manière caricaturale, exagérée, outrancière.
- le comique de contraste : il repose sur les oppositions (comportement, caractère, langage).

Il est évident que ce qui déclenche ou accroît le rire, c'est souvent l'alliance de ces procédés.

composition : manière dont un texte s'articule, s'ordonne, dont les actions, les idées s'enchaînent.

commedia dell'arte : genre de comédie italienne dans laquelle les acteurs improvisaient autour d'un scénario toujours identique.

crescendo : mouvement qui va en s'amplifiant, en augmentant d'intensité.

dramaturge : auteur d'ouvrages de théâtre.

decrescendo : mouvement qui va en diminuant d'intensité.

dénouement : partie d'un récit ou d'une pièce de théâtre qui montre la façon dont se termine l'action.

didascalies : instructions que l'auteur d'une pièce de théâtre donne concernant la mise en scène, au sujet des décors, des jeux de scène, des gestes, des déplacements, du ton et de la diction des personnages. Elles figurent en italiques et souvent entre parenthèses.

étymologie : origine d'un mot dans son état le plus anciennement connu.

exposition (scènes d') : au début d'une pièce de théâtre, scènes qui ont pour fonction d'informer le spectateur de tout ce qui est nécessaire à la compréhension de l'œuvre (circonstances dans lesquelles s'engage l'action, lieu, époque, événements passés, identité et caractère des personnages...).

hyperbole : figure de style qui consiste à mettre en relief une idée au moyen d'une expression exagérée.

intrigue : ensemble des événements, situations et péripéties qui constituent l'action.

leitmotiv : phrase, formule qui revient à plusieurs reprises.

mouvement : différentes parties suivant lesquelles un texte s'organise.

nœud : situation essentielle dans une intrigue, d'où le destin des personnages sortira définitivement changé.

opposant : être ou objet qui peut constituer un obstacle pour le héros dans son action (en général, ce mot sert à désigner des personnages).

parodie : imitation caricaturale, comique, en général d'une œuvre sérieuse.

paroxysme : le plus haut degré, le moment culminant.

quiproquo : terme qui vient du latin et qui signifie «quelque chose à la place de quelque chose». Situation qui fait que l'on prend une personne pour une autre, ou bien que l'on comprend une chose à la place d'une autre.

registre de langue : appelé aussi «niveau de langue». Registre d'expressions que l'on emploie en fonction du discours et de l'effet que l'on cherche à produire. On distingue surtout :
– un niveau courant (correct grammaticalement sans vocabulaire ni tournures particulières).
– un niveau familier (comportant des tournures grammaticalement incorrectes et un vocabulaire proche du style parlé).
– un niveau soutenu (comportant des tournures et un vocabulaire recherchés).

réplique : ce qu'un acteur doit dire quand le personnage qui s'exprime avant lui a fini de parler; chaque élément du dialogue.

satire : écrit qui s'attaque à quelque chose ou à quelqu'un en s'en moquant; critique moqueuse, pamphlet.

tirade : longue intervention sans interruption, dite par un personnage de théâtre.

vaudeville : comédie légère dont l'intrigue, fertile en rebondissements, repose généralement sur des quiproquos.

BIBLIOGRAPHIE

Ouvrages généraux sur le XVIIe siècle

•

L'Ancien Régime, P. Goubert, coll. U Armand Colin.
La vie quotidienne sous Louis XIV, G. Mongrédien, Hachette, 1948.
La vie quotidienne des comédiens au temps de Molière, G. Mongrédien, Hachette, 1982.
La France aux XVIIe et XVIIIe siècles, R. Mandrou, PUF, 1970.
La vie quotidienne au temps de Louis XIV, F. Bluche, Hachette, 1984.
Louis XIV, tome I, E. Lavisse, Tallandier, 1978.
Histoire de la littérature française au XVIIe siècle, tome II, A. Adam, Del Duca, 1954.
Morales du Grand Siècle, P. Benichou, Gallimard, 1948, rééd. en coll. «Folio».
L'âge classique, tome II, P. Clarac, Arthaud, 1969.

Ouvrages sur Molière

•

Le petit Molière, préface de M. Achard, Guy Authier, 1973.
Molière, général et familier, G. Bordonove, Laffont, 1967.
Molière, homme de théâtre, René Bray, Mercure de France, 1954.
Molière par lui-même, A. Simon, coll. «Écrivains de toujours», Seuil, 1957.
Molière, Jacques Audiberti, coll. «Les Miroirs», L'Arche, 1954, 1973.
Molière, Francine Mallet, Grasset, 1986.
Molière, sa vie, son œuvre, M. Boulgakov, ed. F. Birr, 1984.
Molière, R. Jasinski, coll. «Connaissance des Lettres», Hatier, 1970.
Revue «l'école des Lettres» n° 12, 1985-1986.

FILMOGRAPHIE

Le Bourgeois Gentilhomme, 1922, réalisation de Jacques de Féraudy, avec Maurice de Féraudy et Andrée de Chauveron.
Le Bourgeois Gentilhomme, film de Jean Meyer (1958) avec Louis Seigner, Jean Meyer, Jacques Charon et Robert Manuel.
Molière ou la vie d'un honnête homme, film d'A. Mnouchkine, diffusé par les Artistes Associés et Antenne 2, 1978.
Le Bourgeois Gentilhomme, film de Roger Coggio (1982) avec Michel Galabru, Rosy Varte, Roger Coggio, Jean-Pierre Darras et Ludmila Mikael.

DISCOGRAPHIE

Le Bourgeois Gentilhomme, enregistrement intégral avec L. Seigner, M. Escande, J. Charon, R. Manuel, G. Chamarat, J. Piat, J. Meyer, M. Galabru, J.-L. Jemma, T. Bilis, R. Henry, B. Bretty, M. Boudet, H. Perdrière, A. de Chauveron. Enregistrement public salle Richelieu de la 795e représentation le 22 mai 1955. Pathé 30 cm (mono) DTX. 168/70.
Le Bourgeois Gentilhomme, Menuet et exemples de danses. Voix de son maître, 25 cm, p. 809.

Imprimé en France, par l'imprimerie Hérissey à Évreux (Eure) N° 103997
Dépôt légal : 02/2007 – Collection N° 10 - Édition N° 03
16/9174/0